翻轉學

翻轉學

翻轉學

翻轉學

一生忘れない読書 100 分で 3 回読んで、血肉にする超読書法

間歇高效率的
三次閱讀法

讀懂一本書只要100分鐘，
解決過目就忘、知識無法內化與活用的閱讀煩惱

金正 John Kim(日) ——著　葉廷昭 ——譯

目錄

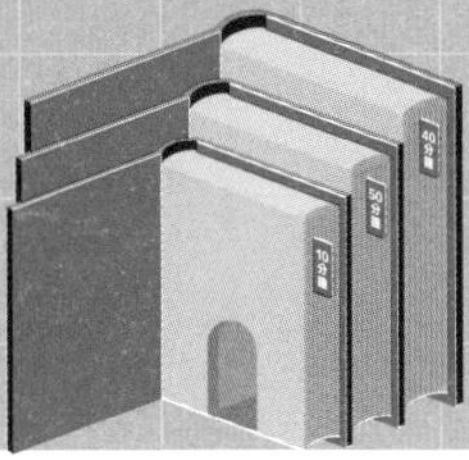

第2章　不只獲得知識，更能豐富人生

第3章　掃描式閱讀：第一次十分鐘，了解全書樣貌

目錄

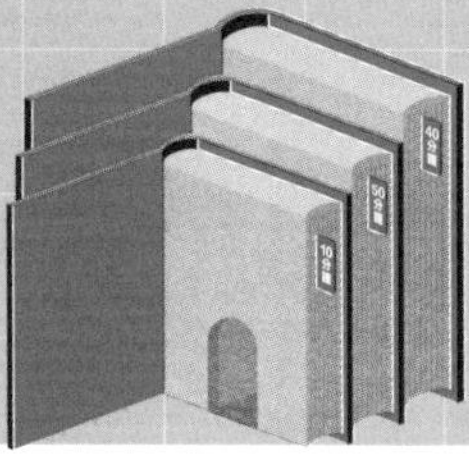

目錄

好評推薦

「金正的間歇高效率三次閱讀法，和我自己在準備主題讀書會活動的閱讀，有頗多暗合之處。某種程度上來說，我自己也是奉行間歇性三次閱讀法，先帶著問題意識進到書中萃取出重點，接著再仔細咀嚼整理、消化吸收，最後設計呈現內容重點的投影片，在活動上講過一遍，自然而然就記住了書籍重點。非常推薦這本書，相信書中的操作方法，能夠解決勞碌上班族想讀書卻總是不容易記牢的問題。」

——Zen大，《超快速讀書法》作者、知識變現力講師、敦南新生活創辦人

「我本身是年閱讀量一千冊的全職閱讀者，此書指導的閱讀方法也是我慣用的方式，相當值得推薦！」

——愛瑞克，《內在原力》作者、TMBA共同創辦人

前言 解決你閱讀煩惱的一本書

閱讀還怕弄髒書，最後一定忘光光

有次我演講結束後，來找我簽書的其中一位男性讀者，遞上了我的著作《絕不卑躬屈膝的人生》（媚びない人生）。那本書真的只能用破破爛爛來形容。

那位讀者說，他重看了好幾次我的著作，他很珍惜閱讀時間，連泡澡時都拿來看，封面皺掉不說，內頁也潮溼捲曲，打開書本一看，裡面畫了很多線條，還有手寫的感言，看得出來他很認真鑽研我的著作。

他說，把書弄成這樣實在過意不去，本來不好意思讓我看到，但他無論如何都希望我在那本書上簽名。

我聽了很感動，差點喜極而泣。想不到自己殫精竭慮撰寫的著作，竟然有讀者那麼認真研讀，實在令我銘感五內。很慶幸自己有寫那本書，真想擁抱那位年輕讀者。

很多人都認為，看書應該保持書本乾淨，覺得那是對作者的敬意。我能理解這種心情，畢竟有些人生性溫柔，所以會顧慮對方的感受，就連弄髒書本都會有罪惡感。

我倒是有不一樣的看法，除非是圖書館借來的書，否則我一定會讀到整本書破破爛爛。**如果讀書還顧慮乾不乾淨，最後一定會忘得一乾二淨，因此我會在書中畫線、折頁，甚至寫下自己的感想，把書弄到面目全非。在我的觀念中，這才是對作者最大的敬意。**

作者寫書的目的是要幫助讀者。把自己的想法分享出去，透過書跟讀者對話，這才是作者追求的目標。我們都希望讀者盡可能活用書中知識。

雖然我沒資格代表所有作者發言，但每次有人問我，身為作家最大的樂趣是什麼？我一定會提到那位讀者的故事。不少人訝異地反問我：「在書上寫下自己的感想，把書弄得破破爛爛沒關係嗎？」我的答覆一向是：「你們願意把一本書翻到爛，這才是我的榮幸。」

我反而希望讀者在我的書上寫下感言，把所思所感都寫下來，跟我共同撰寫全世界獨一無二的著作。

有機會的話，請把那本書拿給我看，看到自己的著作帶給讀者感想和啟發，這是身為作者最大的喜悅。尤其自己寫的東西能引起讀者共鳴，讓讀者願意留下感言，喜悅更是難以言喻。

書對我來說一直是很特別的存在，我的人生不能沒有書。書點綴我的人生，給予我許多觀念上的啟發。

大多數人都認為，書是獲取知識的工具，在我看來，書的意義遠不止於此。真正的好書不是提供你單純的資訊，資訊純粹是素材罷了，**真正的好書會帶給你寬廣的思維，就好像一本食譜，能把食材變成美味佳餚一樣。**

知識純粹是食材，只有食材煮不出美味的佳餚，要先找到食譜再來料理。我認為，每個人都該學會這種讀書方式。

比知識和真理更重要的事——精進觀點

我是土生土長的韓國人，十九歲時領取公費到日本留學。留學前我就已經學好日文了，只是從來沒有在日本生活的經驗，後來我閱讀大量的日文科技類書籍和報告，終於成為專攻該領域的學者。

去美國留學時，我每天要消化幾乎讀不完的課業內容，研讀大量英文資料、書籍和報告。

回日本後，我到慶應義塾大學任教，傳授我的讀書技巧和研究方法，獲得學生的好評，對他們求職有很大的幫助。

一個外國人的日文為何如此流利？外國人真的了解日本嗎？有資格探討日文嗎？我

以前沒有學過科學技術，怎麼能成為先進領域的人才？

我的經歷常跌破大家眼鏡，成就我的其中一項要素絕對是閱讀。不少人想知道我的讀書方法，因此才有這本書誕生。我讀過很多很多書，也發展出一套有效的讀書方法，以下我用一句很簡單的話，來形容我的讀書方法——一百分鐘內閱讀三次。這也是本書要介紹的技巧。

如果你有以下煩惱，請務必閱讀本書：

1. 沒有時間讀書。
2. 不曉得該讀什麼才好。
3. 讀完書馬上就會忘記內容。
4. 知識沒辦法在工作和生活中派上用場。

本書提供讀者以下幾種讀書方式：

1. 策略性閱讀（選擇自己需要的書）。
2. 效率性閱讀（快速反覆閱讀，節省時間）。
3. 有效性閱讀（掌握要點，記住內容）。
4. 主體性閱讀（重視自己的詮釋，把學到的知識轉換成自己的說法）。
5. 實踐性閱讀（不只是吸收知識，還要活用在生活中）。

本書討論的重點，聚焦在「商業類」、「實用類」、「學術類」書籍。本書介紹的讀書方法，主要是教讀者如何吸收資訊，提升思考力和工作的生產力。

至於文學作品，我認為遵循作者的指引就可以了。閱讀商業類書籍，在某種程度上不必太重視作者的指引，而是必須配合自己的目的，採用有主體性、策略性的讀書方式。

讀書的目的在於改變觀點，書中並沒有萬人適用的真理。現實生活不是呆板的二次元圖像，而是立體的三次元空間，每個人從不同的角度看事情，會有不一樣的看法。你的真理不見得是別人的真理，人生不是數學、物理，本來就有不同的答案。

所以，**關鍵在於要有「自己的觀點」**，精進自己的觀點。

讀書才能改變觀點，如果你讀完書會用不一樣的觀點看世界，你的閱讀就是成功的。請用你的觀點來審視書本和世界，這才算站上人生的起點。

想用閱讀豐富工作和生活的人，希望這本著作可以幫到你。

第1章

高效又過目不忘的閱讀策略

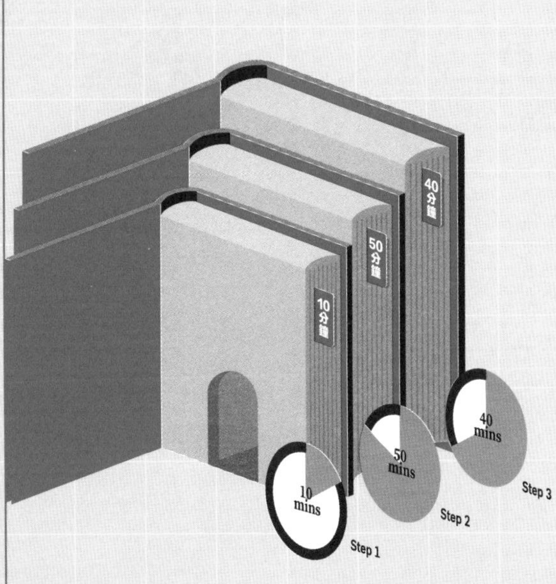

01 訓練思考模式的強力武器

人的壽命有限，我們不可能跟過去的人交談，但有一個方法可以做到——閱讀。為什麼會有書？這個問題有各式各樣的解答，我認為書最大的價值和優點，在於人們能跨越時間和空間，互相砥礪學習。

印刷術發明前，資訊由特權人士獨享，好比教會就是如此。過去《聖經》只有神職人員有資格閱讀，特權階級和庶民被徹底劃分開來。

後來啟蒙運動興起，引發法國大革命。啟蒙運動的英文原意是「照亮」，意指用光照亮社會陰暗角落的窮苦之人。

啟蒙運動的核心人物伏爾泰（Voltaire）、盧梭（Rousseau）、狄德羅（Diderot），又號稱「百科全書派」。他們網羅了全世界的所有知識，製作成百科全書。

製作百科全書的目的，是要讓大眾找回自由的精神，不再盲從權威。除了百科全書派，古騰堡的印刷術，還有引爆法國大革命的啟蒙運動，都是為了實現知識上的民主主義。透過書，每個人都能向無數的作者學習，且不受時間和空間的限制。書是一項革命性的媒介。

人有了知識才有自由和人權，不必再被權威束縛，精神終於獲得解放。書就是如此強而有力的媒介，不讀書未免太可惜了。

鍛鍊肌肉可以讓身體更健壯，讀書則能讓精神更強韌。對我來說，讀書如同游泳、爬山，能鍛鍊自己。

閱讀時，你會發現作者在某個議題上，鑽研了哪些知識和想法。我就是抱著觀察的心情在閱讀，這樣一來，就能揣摩作者的思維。

大腦的細胞相互聯繫，資訊在神經元間傳遞，無數的神經元也互相串聯。書就是作者不斷苦思，神經元持續串聯下的產物，所以某個領域的書只要讀過幾本，就能揣摩作者的思考模式。

重新整理作者的思考模式，會帶來新的創意和見解。因此讀書一定要讀出作者的思考模式，不是看過就好，也不該單純吸收知識。

另外，我也建議多方閱讀，人生的高低取決於閱讀量，這跟運動一樣，多鍛鍊自然更強健。棒球明星鈴木一朗的訓練量比其他選手多，同樣敲出全壘打，可以看出他的打擊特別輕鬆。

掌握到的思考模式越豐富，你的創造力就越強。訓練有去蕪存菁的效果，要達到非凡的境界勢必得經歷一些磨難，但不用擔心，大量閱讀會成為你的武器。

有句話說：「看一個人的交友對象，就能了解他的為人，朋友是照耀我們的明鏡。」書也一樣，看一個人讀的書，同樣能了解他的為人。

你跟哪些人交流學習，對你絕對有影響。同一個學生遇到不同的老師，學養會不一樣；同一支隊伍遇到不同的教練，表現也會完全不同。

不過，現實世界中很難選擇老師和教練，說不定對方根本不想理你。好在書的世界裡，每個人都有自由選擇的權利。作者在等你閱讀他的知識、善用他的經驗。

02 區分「散步」和「登山」的書種

閱讀會帶給人生寶貴的附加價值，不過大量閱讀前，必須先了解一件事，那就是讀書有分兩種類型。

一種是閱讀文學類書籍。我個人幾乎不讀小說這類文學作品，尤其現代文學看得更少。多數人閱讀文學作品，主要是為了娛樂和放鬆。

沒有特殊目的，單純沉浸在作品中，享受作品帶來的療癒，我想這才是大家閱讀文學作品的用意。用走路來形容的話，比較接近「散步」的感覺。

相對地，閱讀商業書、學術書、紀實書等，比較像「登山」。通常讀者是帶著目的閱讀，如同面對一座想要攀越的高峰，而且講究攀越的方法，一旦弄錯方法或是體力不繼，根本沒辦法達到峰頂。

散步式讀書和登山式讀書不同，散步式讀書只要遵從作者指引，閱讀速度不用太快，沉浸在優美的文字敘述中即可。

反正沒有時間限制，閒暇之餘再讀就好，不讀也沒關係。因此讀文學作品不需要特殊的訓練，也不必嚴肅看待。

事實上，多數人閱讀小說就是抱持著散步休閒的心情。當然，凡事總有例外，有些文學作品比實用書還要實用，只是以故事包裝起來，但卻蘊含了人生的哲理。

最具代表性的就是《小王子》（*Le Petit Prince*），你會從書中得到啟發，被故事深深吸引。你可以從故事中看出許多道理，但這種作品純屬例外，大部分文學作品是在享受書中的故事劇情。

相反地，買商業書、學術書、紀實書肯定有某些理由，或是想要達成某些目標。這就是所謂的登山。

既然是登山，你得理解達成目標的方法才行，這就是本書要闡釋的重點。閱讀前，有些事你必須先記在心裡，才有辦法攻頂。

比方說，歷史和科學類的學術書，很多都值得一讀，問題是，實際閱讀需要花上好幾週的時間，而且讀完可能得不到太大的成效。

這就是用「散步」的心態讀學術書的下場。用散步的心態爬山，要爬上山頂得耗費莫大的心力，搞不好走到一半還會迷路或體力透支。讀書是講求方法的。

讀古典名著也一樣。除了閱讀現代作品，了解當代發生的事，閱讀古人的作品也有極大的價值，因為歷史富有深奧的內涵。

我很喜歡義大利這個國家，義大利讓我深刻體會到歷史的精深。法國也是很棒的國家，但我喜歡的是拿破崙掌握霸權後的兩百年，那段歲月是法國歷史主要的舞台。

義大利不一樣，羅馬歷史有兩千年，天主教精神也深植人心。如此強大的權力維持了兩千年，匯聚了全球各地的美妙文化，義大利堪稱是歷史的珠寶箱。

透過書，可以回顧長達兩千年的歷史。唯有經歷時代檢驗的作品，才會流傳至今成為古典名著。

閱讀古典名著，可以接觸到人類靈魂最美麗的光輝，這是無與倫比的享受，透過書能跨越世代和自身的極限，獲得學習的方法，這就是價值所在。

不過，很多人抱怨古典名著不好讀，其實這是有方法的，後文會再詳細說明。

03 帶著「共同著作」的心態看書

該如何有策略地實踐登山式的閱讀，盡可能多讀一點書？詳細內容留待下一節介紹，我想先告訴你一個觀念。

的確，書是賦予我們知識的強大媒介，我們都必須掌握知識才行，但也正因為如此，更不能用錯誤的方式讀書，也就是單純站在學習的立場，等人家告訴你知識。

誠如前述，**我認為讀書最大的好處，在於可以改變我們的觀點，換句話說，要先有自己的觀點，才會有改變觀點的效果。**

其實不光是讀書如此，舉凡看電視、看報紙、上網都是一樣的道理。不管你跟多了不起的人交流，都必須留意一個重點，那就是不要讓自己成為配角。和對方交流時，要對自己抱有絕對的信心，不要只是吸收別人的觀點。

如此一來，你在讀書的時候，腦海中會同時產生兩種思維。一方面吸收作者的觀念，另一方面又有自己的想法，也就是用對等談話的態度，去閱讀作者的書。

否則，你只是單方面吸收作者的觀點，不斷更新腦海裡的資訊而已。這種讀書方式無法留下深刻的印象，你的談吐也只是模仿作者的說法，現學現賣罷了，沒有融入自己的想法。

為了避免這樣的情況發生，你得自己過濾和取捨，並透過對話的感覺孕育出全新的體悟。這就好比共同撰寫一本書一樣。

沒有做到這一點，書就會牽著你的鼻子走。你會被書扭曲，再也無法依照自己的方向改變觀點，這是本末倒置。

閱讀是要塑造自我，不是讓書迷惑自我。書是幫我們更上一層樓的工具，作者相當於家教，**關鍵是不要照單全收。**

許多人汲汲營營追求「答案」，因為從小到大都要面對考試，試題都有標準答案，找到答案的人才有高分，找不到答案的人一分也沒有，於是下意識認為，凡事都有明確的答案。

美國的教育體系則不是這樣，畢竟世上沒有萬人適用的真理。前文也提到，每個人從不一樣的角度觀察社會，會得出不一樣的看法，你的真理未必是別人的真理，**人生有各式各樣的解答，不是死板的數學、物理**。

不過，日本教育完全反其道而行，只有既得利益者定下的答案才會被認可，表面上是守護社會秩序，實際上是為了維繫自身權利。

在我看來，從小到大活在正確答案中，為了追尋正確答案而學習，這種人無法創造自己的正確答案，更不可能證明自己的選擇是正確的。

有些人不敢表達自己的意見，也跟這個問題有很大的關聯。

可是當你大學畢業踏入社會，不得不靠自己過活時，你會發現人生根本沒有正確答案。很多事看似有正確答案，其實不是那麼一回事。

久而久之，你會領悟一個道理，**追尋正確答案是在傷害自己的思考能力、決策能力、行動能力，害你不能創造自己的正確答案**，這點非常重要。

事實上，人生的幸與不幸往往是一體兩面。生病到底是幸還是不幸，主要也是看當事人自己的想法，要不要當成大問題，取決於自己，你不當成問題，那就不是問題。幸不幸福跟個人的詮釋有關，最終答案是自己決定的。

所以讀書的時候，不要把作者寫的內容當成正確答案。作者有撰寫的自由，讀者也有閱讀的自由，兩者融會貫通，才能積極創造自己的答案。

讀到後來，同一本書會孕育出截然不同的著作，雖然物理上還是只有一本書，但抱持著獨立思考的精神，將自己的觀點與作者的觀點相互激盪，會創造出另一本你與作者的共同著作，要用那種心情去閱讀。

04 一百分鐘讀三次的高效閱讀法

我的讀書技巧很簡單，就是在短時間內閱讀三次，直接在書中寫下感悟。原則上是一小時內讀三次，但新手一開始很難達到這個標準。首先，試著在一百分鐘內閱讀三次就好。

每次閱讀都要分配好時間，假設讀一本兩百頁的商業書或實用書，總共要花一百分鐘。那麼「第一次」先花十分鐘，「第二次」花五十分鐘，「第三次」花四十分鐘。

不少讀者可能會懷疑，一本書只花一百分鐘閱讀，還要讀三次是不是太強人所難了？會有這樣的想法，代表你是用「散步」的心態在讀書，閱讀商業書或實用書，必須用「登山」的方式閱讀。

關鍵在於掌握內容的本質，我們不可能記下整本書的內容，因此書中的幾個要點一定要確實掌握住。

反覆閱讀是非常有效的辦法，可以深化你的記憶力。我認為反覆閱讀比專注更重要，千萬不要把專注力神化，面對自己不熟悉的事物，較難集中專注力，因此效率也會較差，先用反覆閱讀的方式熟悉書本，熟悉後再專注閱讀，這樣才有效果。

每多讀一次，理解力和記憶力就會變得更好。按照我個人的經驗，讀三次和讀四次沒有太大的差別，但讀三次絕對比讀兩次或一次更能理解內容。通常和一個人見面三次，大概也就能摸得清楚對方的為人。

讀三次還記不住內容的話，讀五次同樣記不住，也無法理解內容。當然，不是傻傻地閱讀三次就好，每次所需的時間都不一樣，閱讀的方式也不一樣。這邊我先大略解釋，詳情留待後文再解釋。

「第一次」先花十分鐘閱讀，我稱之為概觀式閱讀和發現式閱讀。第一次閱讀的重點在於掌握書的架構。尤其「登山型」的書，作者都會用一定的架構來撰寫，你要先了解整本書的骨架。

先了解大致的架構和內容，絕對比被作者牽著鼻子走要好。這兩者的理解程度完全不能相提並論。

「登山書」和「散步書」最大的差異在於，登山書有詳實的目錄，先看目錄，就知道作者重心擺在哪些章節，之後隨手翻閱十分鐘，了解整體架構，這種讀書方式比較接近瀏覽，決定到底要讀哪些部分。

瀏覽完整本書，理解重點在哪裡後，「第二次」要拿螢光筆畫重點，這是深化理解力的閱讀方式。要閱讀「第一次」找到的重點，畢竟只有五十分鐘的時間。

不是每本書都能用「散步」的方式閱讀，但也正因為如此，才能激發出我們高度的專注力。請用黃色的螢光筆，畫下你特別在意或感興趣的部分。

「第三次」閱讀要留意第一次掌握的架構，以及第二次畫下重點的部分。然後在閱讀的過程中，畫下紅色或粉紅色的螢光筆，有需要的話就寫下自己的感悟。

一本書的架構深入了解三次，你就會記住整本書的概要，理解程度絕對不可同日而語，這就是反覆閱讀的效果。

若有感興趣的格言或標語，不妨直接抄寫在書上，或寫在其他卡片和筆記上。對作者的著作寫下自己的意見或感言，這就是「共同著作」的真義。你可以寫下自己的詮釋，以及對作者的疑問。

一百分鐘內反覆閱讀三次，你會有不一樣的發現。比起花時間從頭到尾細心精讀，更能清楚掌握書的重點，況且還有畫線並寫下重點，這種抒發己見的過程，會深化你的理解力和記憶力。

要刻意在短時間內反覆閱讀，才會有這樣的效果。閱讀「登山類」的書，很講究策略性。

如果遲遲無法讀完一本書，或是閱讀量不夠多，記不住自己讀過的內容，這套方法能有效解決你的問題。

05 不必對跳著讀感到愧疚

不少人讀完一本書，事後想要記下重點，卻怎麼也想不起內容。我在指導學生的時候，會事先告訴他們每本書有三大重點，這樣他們就真的會歸納出三項重點。

有些學生你光叫他們寫重點，他們也不知道該怎麼寫，不過事先提出指示，要他們歸納出三項重點，他們就會朝這個方向去閱讀，思維也會朝著重點思考。一開始要先知道方法，讀書才會有成效。

以我個人來說，當我不得不讀英文文獻的時候，一天最多可以讀一千頁，這點我後文會再談到。英文的架構相當單純，結論也十分明確，很容易掌握概要。

日文文獻就不一樣了，我光是讀三百頁就要花上大量的時間，理由是日文的文章缺乏有系統的架構，所以閱讀日文文獻要有策略，否則讀起來耗時費力，又抓不到重點。

反過來說，只要有心抓重點，好好訓練自己抓重點的能力，你會發現抓重點並不難，而且讀書只讀重點就夠了。

我的「間歇高效率的三次閱讀法」，真正想傳達的其實就是這種思維。也就是在短時間內，抓住重點閱讀就好，如此一來，可以確實理解作者的主張，用反覆閱讀的方式深化理解力。由於讀書不用耗費太多時間，便能有多餘的時間去閱讀更多書。

很多人個性嚴謹認真，總覺得看書不能跳章節，隨手翻閱書本甚至還有罪惡感，這也是讀書慢的原因，誤以為書要從頭看到尾，事實不然，前文也提過，你不可能記下整本書，那又何必全部讀完？

你可能強迫自己讀完整本書，但仍看不出該讀的重點，「登山類」的書尤其如此。你會被大量的文字迷惑。

要用去蕪存菁的心態閱讀，掌握真正的重點。因此你要告訴自己，一本書有八成的內容都是鋪陳，只有兩成才是精華。

實際上，大多數的書都可以在十頁內寫完，但這樣沒辦法出書，所以作者會刻意增加篇幅，你不必細心研讀刻意增加的內容。

請抱著跳過八成內容的心態去閱讀，用這種方式閱讀三次，你才會看出真正的重點，將整本書的內容理解透澈，銘記於心。

有的讀者可能會懷疑，這種閱讀方式真的有辦法做到嗎？嚴格來說，你不用這種方式閱讀的話，花再多時間都讀不完一本書，也無法增加閱讀量。因此你要相信自己辦得到，相信你的大腦有鑑別力，不是要刻意去理解，而是自然地去歸納資訊，不要小看自己的直覺。

第一次閱讀時，理解度不高也沒關係，請用十分鐘讀完就好，試著掌握這種閱讀的感覺。一百分鐘內反覆讀三次，你會發現自己確實掌握到重點，能做到這一步，你的閱讀水準也會大幅提升。

只不過，這套方法不是所有書都適用，像文學作品這種「散步類」的書，就應該轉換成細心精讀的心態。

「登山類」的書又分兩種，一種是立刻派得上用場的書，另一種是要過一段時間才派得上用場的書。商業書就是前者，學術書和古典名著屬於後者，短期來看前者對你比較有幫助，但後者對你才有長遠的益處。學術書和古典名著會強化你的心靈，讓你變得更剛毅堅強，可以勇敢踏上自己的人生道路，不被旁人迷惑。

學術書和古典名著，確實能培養一個人內在的核心。這類書隱含事物的本質，所謂的本質是指一體適用的真理，不受時空環境的影響。

當然，這世上沒有絕對的真理，但學術書和古典名著的內容很接近真理。有了內涵的底蘊，再來讀立刻派得上用場的書，才會有一套自己的詮釋方法。

否則，讀商業書只會被書中的內容迷惑，完全找不到方向，最後變成一個盲目追尋技巧和知識的人。

這兩大類書要均衡閱讀才行，只讀學術書和古典名著，不讀現代作品會跟不上時代，均衡閱讀才能具備成功的特質。這麼做能掌握適應現況的能力，同時做好因應未來的準備，這才是真正的實力。

有些無法立刻派上用場的書，需要花時間細心精讀，這時你就轉換成用心閱讀的模式吧。只要發現值得精讀的書，就好好花時間讀完，不同的書要用不同的閱讀方法，才不會浪費時間。

06 去蕪存菁，跳過鋪陳的內容

讀商業書或實用書，有幾件事要特別留意。讀這些書就跟挖金礦一樣，在拿到書的那一刻，會以為整本書都是「黃金」，實則不然。

你找到了金礦，真正能挖出來的黃金含量也不多，大部分都是泥土和砂石，讀商業書也是一樣的狀況，兩百五十頁的商業書，只含有少量的精華。

關鍵是從大量的砂石中找到黃金，必須用這樣的心態閱讀商業書才行。不用挖金礦的心態閱讀，找不到真正的黃金。

要常保去蕪存菁的觀念，靠自己的本事找到黃金。做到這一步，你就敢放膽跳過章節，捨棄那些刻意增加的內容。

金礦裡當然有黃金，但隨便亂挖根本挖不到，要知道書中哪裡有黃金，而且你要有本事挖出黃金。

事物的本質往往很單純，這是我個人的定論。很多事看似複雜，本質卻相當單純。看穿事物的本質，不被現象迷惑才是重點。

能用一句話總結一本書的人，具備看穿事物本質的能力。問題是，多數人都不具備這樣的能力，因為本質總是被埋藏在複雜的現象中，追求本質的人不會被表面現象迷惑，因為懂得捨棄繁複的鋪陳。從金礦裡挖到黃金，指的就是這麼一回事。

我一向追求本質，所以才會發明這套「間歇高效率的三次閱讀法」。不學會發現本質的技巧，就無法看透事物的本質。

商業書的編輯都很溫柔，他們會用粗體或畫線的方式，告訴讀者該注意哪些地方，請先看編輯畫下的重點，學習如何看穿本質。

在閱讀的過程中，時時刻刻留意本質，到底是什麼感覺？我常舉一個例子，假設你去法國巴黎的羅浮宮，館內有將近四十萬項藝術品。

然而，平常拿出來展示的也才三萬五千項，光是要看完這三萬五千項，就得花上好幾天的時間，如果你在巴黎逗留的時間有限，就要先決定好該看什麼。

比方說，先看《蒙娜麗莎》和幾項特別重要的藝術品，再觀賞偶然注意到的作品，用這種方式逛美術館是最理想的。

讀書也一樣，你需要找到標的。第一次閱讀就是要理解架構，瀏覽重點所在，沒有做到這一點，就會被表象迷惑。

沒有作者可以把整本書寫得非常精妙，真正想傳達的訊息，頂多也才兩、三項而已。一個作者若想表達的主張太多，大概也沒有什麼真材實料。

每本書都有特別重要的一句話，那句話是作者拚上自己的人生得來的體悟。作者真正想傳達的，其實也就是那句話。

能看穿本質的人會去找出那句話，因為他們知道本質是很單純的。對我來說，**短時間閱讀就是看穿本質的能力，必須掌握快速閱讀的能力，才有辦法看到真正重要的事物。**

關鍵在於你要有看穿本質的企圖心，秉持堅強的意志力，從眼花撩亂的表象中找出閃耀的本質。

07 用論文的架構方式抓重點

要一邊閱讀一邊尋找書的本質。**讀書要用全面性的觀點俯瞰內容，深入了解書中的架構，而不是逐字逐句閱讀。**翻開一本書後，要積極尋找值得閱讀的部分，不要傻傻地讀完整本書，要把去蕪存菁當成閱讀的基本態度，記下特別吸引你的重點，之後再回過頭來閱讀重點前後的內容。

我有美國留學的經驗，這也是我積極採用速效閱讀法的主因。要完成教授的課題，就得閱讀非常大量的論文，一字一句閱讀絕對看不完。

後來，我發現只要抓住重點閱讀就行了。論文的基本架構都是固定的，很容易抓出重點。

大量的論文不看不行，但又不能全部硬記或逐句分析，只好找出不必耗費記憶力和分析能力的閱讀方法。

在有限的時間內，我能做的就是反覆閱讀。除了理解論文的內容，還要順便寫下自己的想法。

不能把所有時間都用來理解，而是要理解後，再抒發自己的意見。這才是教授提出課題的用意。

仔細想想，我過去在寫論文、做學術研究的時候，真正的重點大概十行就能寫完。論文就是要依循正確的程序和架構撰寫。

首先是論文的摘要。其實讀完摘要，大概就能知道這篇論文在講什麼了，後面的部分只是要證明，研究者有好好研究該項論述罷了。

這種架構和商業書非常類似。前文也提過，商業書的內容有八成都不用閱讀，大部分都是驗證作者的結論，沒必要全部讀完。我發現商業書和論文一樣，結論都能歸納成十行短短的文字。

我不是在指責作者灌水，商業書本來就是這樣。人類能傳達的訊息並不多，況且出版書籍要事先開企畫會議，當一本書決定要出版，最重要的就是書籍的企畫，企畫書不可能寫到兩百五十頁。

不過，一本書至少要有兩百頁才行，只寫十行賣不出去。讀者照單全收只會浪費大量時間。

抓重點跳躍式閱讀，對海外研究人員來說是理所當然的，因為他們要讀的書比普通人多出太多，閱讀清單一般人絕對無法想像。

因此在海外受過教育的人都熟悉這種讀書方法，多數企業經營者也一樣，這才是他們閱讀量龐大的主要原因。

在美國上一堂課，最少要先讀完三部一百五十頁的論文，如何讀完這麼多文獻，全憑個人本事。

試著想像，把兩百五十頁的書濃縮在一張白紙上，然後在閱讀的過程中挑選要留下來的內容。你要相信最後一定能歸納成簡短的一句話。

另外，不是每個作者都能明確表達自己的主張，閱讀前要先了解這一點。作者表達不好，或是表達不夠明確的部分，你要自行歸納到簡單易懂的程度。

當你不再是單純的閱讀，手上的書會變得更加洗鍊，這是我個人的看法。

08 讀不懂先跳過，但別停下來

我是先到日本留學後才到美國留學，那時候我就開始練習反覆閱讀的技巧了，我這麼做也是有不得已的苦衷。

韓國出身的我之所以到日本留學，主要是日本當年的經濟水準，比韓國進步二、三十年，我認為去日本學習經濟，就能找到韓國未來的方向，就像日本明治時代的福澤諭吉*，對西洋文明心生嚮往一樣。

因此我不只學習經濟學，連日本的社會經濟、文化系統、政治體系也想涉獵。實際來到日本我才發現，在總體經濟學、個體經濟學、國際經濟學的領域中，已經有很多了

*日本近代重要的思想家、教育家。影響明治維新甚鉅。

不起的先進。

比我厲害的學者大有人在，但我不想從基礎開始，落於人後，於是我思考該如何鶴立雞群，而且要在短時間內達成目標。最後我想到的是，找一個連教授都不知道的研究主題。

有些理論已經定型，若要將理論應用在新的領域中，必須要先了解新領域的所有相關知識，才能知道如何運用。即使是有資格獲得諾貝爾獎的理論研究者，在實際應用理論時也需要先充分了解相關知識。

如果我具有應用層面的知識，那麼熟知理論的教授如果想知道如何運用，也必須向我請教，所以我在新的應用領域必須擁有壓倒性的資訊量。

我是一九九三年到日本留學的，那年美國正副總統是柯林頓和高爾，他們提出了資訊高速公路的構想，我決定朝這個應用領域發展。

當時日本很流行「多媒體」一詞，日本電信推出「整體服務數位網路」，媒體也大幅報導未來是多媒體盛行的時代。

只要我讀完日本所有的多媒體資訊，包括所有報章雜誌上的訊息，我就有本事指導我的教授了。

專攻哲學領域的人要到年老才會出名，很少看到年輕的哲學家，因為哲學沒有一套既定的答案；但在數學領域，十三歲少年也能成為世界第一，因為數學有既定答案。專攻經濟學無法讓我成為第一，但研究最新的題材，就有機會超越資深的專家，畢竟缺乏資訊這項食材，連要煮出一道好菜都有困難，而我找到了全新的食材。

我決定專攻多媒體領域，一口氣蒐集大量的資訊，包括資訊通信技術、廣播通信、通訊內容、出版、廣告等。數量才是決勝關鍵，我要閱讀大量的報章雜誌和書籍，轉化為自己的研究主題，這才是我需要的。

我看了所有過去報章雜誌的資料和報導。閱讀有興趣的內容，速度會比較快，再加上專攻特定的領域，速度自然變更快。

報導中的專業術語一開始很陌生，但讀久就慢慢熟悉了，那時我也領悟到跳躍式閱讀的重要性。也許讀完第一本還無法了解內容，但讀完兩、三本後，就看得懂內容在寫什麼了。**足夠的閱讀量會增進你的理解力。**

每次遇到不懂的地方就停下來研究，根本無法大量閱讀，所以我選擇直接跳過，反正讀多了就會理解。你要相信自己之後就會理解，然後繼續閱讀下去，這一點很重要。

有些人遇到不懂的地方，都不願意直接跳過，沒辦法忍受如鯁在喉的感覺。有些事情要勇敢放下，才能看到不一樣的道理。

一本書花兩週閱讀，兩週後你還是講不出道理，與其這樣，不如花一百分鐘多讀幾遍，讓自己牢記在心。我就是決定專攻特定領域，才領悟這樣的道理。

09 沒有目的，讀了也是白讀

大腦的資訊處理系統，經常處於省力的狀態，這在腦部科學有一個專有名詞，叫網狀活化系統（Reticular activating system, RAS）。比方說走在路上，如果要處理所有看到的資訊，資訊量會大到腦部無法應付，這對腦部的資訊處理系統是一大負擔。

因此大腦會刻意省下力氣，走路時腦袋放空是人類的本能，也就是刻意不去觀察周圍的資訊。

可是當你有明確目的，就會注視路邊的花草。腦袋放空走路的人，看不到周圍環境的細節，要有明確的目的才看得到。

沒有目的就看不清事物的本質，只是在白白浪費光陰。除非你想看穿事物的本質，否則你什麼也看不清。

讀書是為了過上更美好的人生，你要懷著企圖心閱讀，努力達成自己的目的。當你意識到這些重點，你才會有明察秋毫的眼光。即使是老鷹，如果只是漫無目的地在天空飛，也沒辦法找到獵物；只有當老鷹知道沒有獵物就養不活家人時，才會看到地上的獵物。沒有目的就不會有收穫。

美國軍校生入學時，會讓新生背著三十公斤的裝備行軍，命令只有一個，就是一直走下去。要走幾公里或幾天完全沒講，才短短兩、三天大家就走不動了。

這項訓練是要學生了解目的的重要性。不了解行軍的目的，不知道終點和距離，人的動力會迅速瓦解。

這跟我們在路上行走是一樣的道理，前往某地時可能覺得路途很漫長，但回程時就覺得路途比較短。當你不知道還有多久才到目的地，心裡就會慌張、精神無以為繼，不曉得自己還要努力多久。

不過若是去曾經到過的地方，距離和目的地你都清楚，就不會有茫然無措的感覺。

這就是反覆閱讀的意義，先讓自己有讀完整本書的感覺，就能大概知道內容的深淺，要花多少心力也更好拿捏。

就算只是隨手翻閱，只要有確切的目的，大腦就會自動找出重點。明白在所剩不多的時間裡，該花多少時間和心力去閱讀重點。

你會發現某幾章對自己特別重要，而且讀起來特別有感觸。在掌握這樣的閱讀感前，細心精讀太花時間了。

人生的光陰有限，精力也有限。標出哪個部分有最多重點，然後回頭去讀那個部分，才有效率。

因此讀書一定要有明確的目的，缺乏目的無異於腦袋放空散步，純粹是在浪費時間。中途變更目的也無所謂，總之要有明確的目的，如此一來，一百分鐘就很夠用了。

沒有明確的目的，花一百分鐘閱讀也沒意義。

很多人讀完書後，其實說不出書裡寫了什麼，因為沒看懂書的架構。可是想要在一百分鐘內閱讀三次，非得跳著看不可，要先掌握書的架構，才有辦法記住內容，才說得出那本書在講什麼。

否則，你只講得出一些細微末節而已。讀書要講究策略性、主體性、效率性、有效性、實踐性、創造性，你要敦促自己進行有用的閱讀，提升閱讀的效果。

閱讀必須改變視野，對人生造成好的影響。閱讀本身不是重點，讀書方法要對人生有益，這才是重點。

請好好思考，什麼樣的閱讀方式對你有幫助？真正有益的讀書方式，可以幫你節省時間，發揮良好的閱讀功效，而且在現實生活中也派得上用場，還能鍛鍊你的思考力和創造力。

第2章

不只獲得知識，更能豐富人生

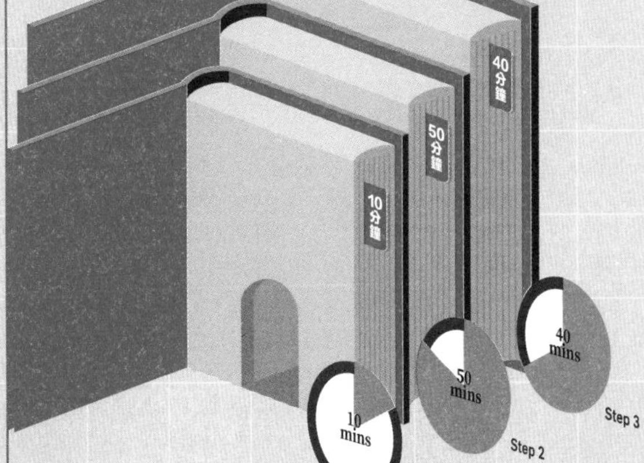

10 培養AI無法取代的競爭優勢

書可以鍛鍊一個人的思考力、文筆、決策力和行動力，連帶閱讀能力、動腦的速度，還有寫作能力也都會變好。我認為閱讀後能有這些效果才稱得上讀書。從更廣的層面來思考，讀書會讓我們成為成熟圓融的社會人士，因此閱讀的時間非常珍貴。

如果你覺得讀書只是要獲得知識，就無法發現其他的重要功效。事實上，提供知識的媒介不只有書，有些人認為讀書是在浪費時間，不過當你領悟讀書真正的作用，你就會發現，讀書是提升自己實力的一大要素。

懂得活用閱讀技巧的人都明白一個道理，要在社會上力求表現，就必須擁有某些重要的能力，讀書是帶給我們這些能力的捷徑。

請活用讀書的效果，不要小看讀書的作用，讀書不是消遣，而是必要。重視讀書，你才會花時間和心力閱讀，讀書的心態也將改變。不明白這個道理的人，只會把讀書當成閒暇時的消遣。

相信大家都知道，很多偉人都有閱讀的習慣，而且閱讀方式跟常人不同。且不論讀書方法如何，至少他們很清楚讀書的效果是什麼。因此讀書在他們心目中的重要性完全不一樣，換句話說，了解讀書的效果，你就會重視讀書這件事。

偉人讀書與一般人最大的不同在於，讀書方法極具實踐性，不是讀完就算了，更不會讓自己當配角被動接收知識，而是把讀書視為人生的食糧，因此讀書的集中力和嚴肅程度非比尋常。

擁有豐富閱讀經驗的人，只要稍微觀察對方，就能知道對方平常有沒有在看書。沒有看書的人，表達力和思考力肯定不好，雖然有高度的表達力和思考力，不見得會受到愛戴，但如果缺乏這些能力，終究是很可惜的事。

懂得跟作者對話，不會死讀書的人，書是他們人生路上最扎實的後盾。他們知道讀書確實對人生有益。

想要被動接收資訊，看電視或上網就行了，反而更輕鬆；相對地，讀書要花上不少心力，是一件消耗精力的事，不過同時也能鍛鍊精神力。讀書是不小的負荷，這種耗費精力的行為有鍛鍊的效果。

持續和作者對話也能鍛鍊思考力。擁有的資訊量再多，還是需要思考，讓資訊付諸實行，否則在現實生活中派不上用場。單純擁有資訊的人，早晚會被人工智慧取代。

未來真正需要的是思考力，讀書是培養思考力的最佳利器。重視讀書，用讀書培育自我的人，未來更容易發揮競爭優勢，思考力也會越來越敏銳。

過去我在求學時，有一半的生活費都用來買書，我相信讀書是最好的投資。假設我叫你一個月花五萬日元（約新台幣一萬二千五百元）買書，三個月花十五萬日元（約新台幣三萬七千五百元）買九十本書來讀，你會覺得這筆投資很貴、很不划算嗎？

思考自己花的錢能獲得多少回報，你會發現書的投資報酬率很高。父母都樂於看到小孩讀書，讀書是很棒的習慣，愛讀書的小孩長大一定會成功。

我認為，每本書都是寫給自己的信，而且都在等我閱讀。要讀哪一封信是個人自由，歷史上的每位創作者，都在寫信等我閱讀。對讀者來說這是很奢侈的享受。

11 書本扮演各種角色

我父親在我一歲時就過世了，我沒有和父親交流的記憶，也沒有合照的照片，但我對父親多少有點印象。

父親是一名小學老師，家中所有東西在他去世後都被債主拿走了，唯一留下的，只有父親的書。

由於各種因素，我從小學五年級開始便獨自生活，平常待在家中除了看書，沒有其他事可以做。一打開父親的書，父親彷彿就在眼前。書上畫的線條，還有寫在每頁的感言，都是父親留給我的遺產，也是我跟父親少數的牽絆。

我幾乎每天都讀父親留下的書，藉由父親寫下的感言和畫下的線條，我與父親不斷對話交流。對獨自生活的我來說，書是唯一的家人，因此書對我有與眾不同的意義。

書也是陪我度過孤獨歲月的好朋友，書中內容直接融入我的人生，我覺得那不叫讀書，而是書在跟我對話。

我對書的感情和重視，早已深深刻劃在我的潛意識中。書對我而言是特別的存在，不是有空才拿來消遣的物品。

長久下來，我也有了許多體悟。在孑然一身的狀態下，人會思考該怎麼做才能在社會上生存。生存的方法很多，我個人傾向靠頭腦。

我必須鍛鍊自己的頭腦，掌握更多知識，培養生存的能力。知識、知性和智慧是我唯一的生存方法，獲得這些能力最便宜的途徑，就是書。

就某種意義來說，書是帶我走向未來的使者，也是指引我的路標和媒介。

父親留下了各式各樣的書，有世界文學全集，也有美術相關書籍，當時我還在念小學，書中內容也沒完全看懂，反正有時間就拿來閱讀，這就是我一開始接觸書的方式，也是我和書建立的緣分。

如果一個人從小接觸錢，對錢就會感覺特別親近、熟悉吧？同樣的道理，我小時候身邊充滿了隨時都能取閱的書，而且一打開，父親彷彿就在眼前，所以看書對我是很自然的事，我對閱讀也充滿親近感。

也多虧有這麼多書供我取閱，我培養出了很強的閱讀直覺，只要打開一本書，我的直覺就會告訴我該讀哪個部分，這是我從小就養成的能力。花大量時間鑽研一件事，實力絕對會進步，我的閱讀技巧便是如此。

父親留下的書都很艱澀，我只看得懂一部分，我知道自己的程度還不足以看懂這些書，我的思考力還不夠。

父親買艱深的書肯定有他的用意，我當下看不懂的書，心想將來要是看懂了，可以當作是成長的證明，因此我只希望自己有朝一日能看懂，完全沒有挫折感或壓力。

我持續不斷地閱讀，晚上一個人睡不著覺，偏偏家中又沒人陪我說話，這時候，我照樣拿書出來看，書上的文字就是我的搖籃曲。後來我的身邊一定少不了書，走到任何地方我都會帶書，連上廁所也不例外。

我在書中見到了父親的風範。

12 不隨興閱讀，設定目標和期限

前文提到，我為了到日本留學，很早就開始學日文，做好準備。等我精通日文後，便有了很大的體悟。

在韓國學日文主要有兩種方法。有一門課是每天早上閱讀日本《朝日新聞》的社論，老師是年事已高的老學究，每天早上會影印社論發給我們閱讀。

大家先看過一遍後，老師再說明社論的主題，還有當中使用的漢字。除此之外都是查字典自學，或是死背漢字。

當然，學語言不是件容易的事，尤其《朝日新聞》的社論很難懂，一篇社論可能會有五十個不認識的漢字，但有機會學到不認識的漢字，我很開心，我會把不認識的漢字記在小卡上背誦。

後來我發現，只要看懂文章脈絡就能大致理解內容，就算是陌生的語言也一樣，所以我學日文比較像在學習閱讀文章，而不是單純背誦單字。

現在回過頭來看，我的學習方式有點像幼稚園小孩讀報，不過這種學習方式很有效，我一念書就會發揮強大的專注力，有整整半年，我從早到晚都在念書。

日本電視劇也是我的日文教科書，例如《一〇一次求婚》、《東京愛情故事》，都是我一看再看的電視劇。

我也會聽日文歌，每週二晚上十一點，我會拿錄音機錄下音樂節目《COUNT DOWN TV》，錄完後反覆播出來聽。聽外文歌最大的好處，就是容易學習字句。

單純死背歌詞非常困難，但搭配音樂就容易得多，因為歌有節奏，有助於記憶，沒有節奏的話很難讓人記住。用音樂學習外文非常有效，不用刻意死背就學得會。

有個故事令我印象很深刻，職業棋手羽生善治*說過，他跟職業棋士或業餘棋士對弈，賽後可以百分之百重現棋譜。

不過跟小孩子對弈完全無法重現棋譜，理由是小孩子下棋無規律可循。這跟聽音樂學語言的道理相似，聽音樂能學會語言，但如果不規律的話，就很難用反覆聆聽的方式學習。

或許將棋高手的世界，也跟音樂一樣有規律可循，所有規律都可以重現，但不規律的棋路則難以重現。

學習日文半年後，我考過了日文能力一級檢定。韓國絕大多數的留學生都會去語言學校就讀，我沒有閒錢，也沒有多餘的時間，所以我要求自己半年內要考到一級。

讀書也是同樣的道理，**要給自己一個目標和期限**，而不是花好幾年隨興閱讀。**有了目標和期限，才會有非辦到不可的衝勁。**

後來，我拿到公費留學生的資格，到日本深造日文，這也帶給我不少體悟。

我們學母語的時候，通常是幼兒時期，心智尚未成熟，因此無法有意識地控制母語，有時候，會不經意說出幼時學到的語言，或是受到過去的習慣影響，難以用精準的詞彙表達。

＊日本將棋史上第一個達成「永世七冠」的人，擁有七項冠軍頭銜。

不過，外文通常是到高中或大學才開始學的，也就是成熟後才學的語言，因此可以理性地使用外文。

縱使會的單字不多，也能按照自己的意思排列運用。

從這個角度來看，使用外文會比使用母語更有邏輯，可以進行策略性的運用。因此我打算在日本學更精深的日文，如此一來，能掌握更精準的日文能力。

我也發現，看外文書學到的啟示比較多。

13 揣摩作者思路，自學頂級的思考模式

有些人問我，我明明不是日本人，為何有本事運用那麼艱深的日文？答案很簡單，因為我刻意學習。

當我到日本學更精深的日文，我打算挑好的教材來學。這也是長大後再學外文的好處，你有權利挑選自己要學的東西。

書是作者思考後的產物。前文也有提到，人類的思考力來自腦部的神經元串聯，讀書就是在揣摩作者的串聯方式。

閱讀優美日文寫成的作品，等於學到頂級的思考模式。重新編排那些思考模式，就會有新的思維誕生。

學習古典、優美的日文，並用新的方式組合運用，可以發現不一樣的美感。日文深

奧又樸實無華，我總是模仿這樣的語言模式。

幸運的是，我來日本沒多久就碰到優良的範本了，那就是岩波文庫*。每本岩波文庫後面，會寫上創辦人於一九二七年出版岩波文庫的宗旨，標題是「寫給愛看書的孩子，岩波文庫發行之時」。我看到那篇文章大受感動。

過去，我只覺得文庫本是便宜又輕薄的書，不過岩波文庫是秉持當時的學術理性主義和啟蒙主義，把知識推廣給一般大眾。

那時我就已經知道啟蒙主義了，岩波文庫就跟前文提到的「百科全書派」一樣。創辦人希望推動知識的民主主義，讓人民得到真正的自由，以及監督權力的能力。

權力來自於資訊的不對稱，在印刷術普及前，只有教會的神職人員能閱讀《聖經》，神職人員打著上帝的名義大放厥詞，擁有極大的權力；印刷術普及後，大家都有機會讀到《聖經》，這樣的現象才漸漸改善。

了解資訊才能得到真正的自由，我很清楚這是民主主義不可或缺的一環。我在日本邂逅了岩波文庫，看到卷末也寫到類似的話。

我到日本時，有先打聽過各家出版社的風評，這也是我挑選岩波文庫的原因。大家都說岩波書店的水準不同凡響，就連作家都表示，能在岩波文庫出書意義非凡。換句話說，「岩波」象徵知識的權威，然而權威背後竟是傳播知識的熱忱，這點令我非常感動。

再看卷末的書籍清單，我發現自己想讀的古典名著，岩波文庫都有出版，包括歐洲西洋理論、文書類、哲學類等書，都有日文版的譯作，而且負責翻譯的全是日本頂尖的學者。

要讀日文經典就選岩波，岩波已經建立起品牌的信譽，在我的觀念中，學習就要挑有真材實料的東西來學。

岩波文庫網羅了古今中外的偉大著作，翻譯者又是日文學識最淵博的人。閱讀岩波文庫可以學好日文，順便接觸各大經典。

＊由日本岩波書店發行的文庫本叢書，創刊於一九二七年。

我模仿岩波文庫的日文，揣摩文章中的思路，將書中的日文應用模式納為己用。後來我懂得搭配各種模式來使用日文。

就好像在玩數量稀少的樂高積木一樣，當時我會的單字才三千個左右，但拿來組合應用已經很足夠了，況且我的組合應用模式是跟日文高手學的。有三千個單字量，幾乎沒有寫不出來的句子。

沒有組合應用的能力，就算熟知三萬個單字也沒用，頂多就是聽到單字，知道單字的意思罷了，不過只要每天跟應用高手學習，就算只有一千個單字或三千個單字，應用能力絕對不同凡響。再者，這種學習方法好處比較多。

用廚藝來比喻的話，就好像長大以後去跟三星主廚學，而不是從小看媽媽隨意料理。雖然我無緣接觸到其他日文應用模式，但我已經掌握最棒的日文了。

14 追求理性，也抒發感性

到日本後，好一陣子我都在閱讀岩波文庫，主要是國內外的學術書，包括古典名著和哲學類書籍，隔年，我才大量閱讀多媒體文獻，成為箇中翹楚。

前文也提過，我讀的文學類著作不多，小說讀得更少，但我一直想接觸日本最具代表性的作家，於是我邂逅了三島由紀夫的作品。他很擅長把自己的思維和感覺轉化為語言，而且力求完美。

根據三島由紀夫的說法，這是他從小受過大量訓練的關係，在各種訓練和嘗試中鍛鍊出來的能力，有點類似棒球明星鈴木一朗的經歷，也難怪實力和其他人完全不一樣。

我喜歡讀的不是三島由紀夫的小說，而是他的散文。我最先讀的是《葉隱入門》，這本書非常有趣。

三島由紀夫在韓國被當成右派，是不能接觸的日本作家。可是仔細閱讀他的作品，會發現他敢於得罪右派。

後來我漸漸明白，三島由紀夫不是在談體制上的話題，而是精神上的話題，而他寫的文章完全知行如一。

簡單說，他把自己的人生美學轉化成文字。他喜歡美麗的事物，但不是用純粹的感性寫成文字，他有高超的理性思考能力，因此能用理性和感性的手法，寫出自己的所思所感，融合運用這兩種手法。

我是長大後才學日文的，也有經過邏輯性的訓練，三島由紀夫的文章最令我驚豔的，不只架構巧妙，連遣詞用字都十分典雅，作品充滿了他的美學。

當然，三島由紀夫結束人生的方式，也是我佩服他的原因之一。對外國人來說，他生命的結束給人一種淒美的感覺，其他國家並沒有切腹自盡的文化。

三島由紀夫是東大法學部出身，曾在大藏省任職，更頂著知名作家的光環，結果他卻選擇這種感性的方式結束生命。

他按照自己的規畫度過一生，連結束的方式都由自己掌握，這樣的人在外國人眼中帶有濃烈鮮明的色彩，而韓國的社會風氣又告訴我，他是右派的禁忌作家。過去，我只讀過村上春樹和吉本芭娜娜的書，畢竟這兩人在韓國也很有人氣。

我在這樣的背景下接觸《葉隱入門》，終於明白他的思維骨幹，全都跟武士道有關。武士道講的是血肉，一個精神茁壯的人讀到《葉隱》，想必會產生極大的自卑感。武士道最終要鍛鍊思維、感性和肉體，成就三位一體的境界。三島由紀夫的身材嬌小，人格卻極具魅力，他寫出來的文字真的很美。

如此熱情洋溢的文章是我生平首見，三島由紀夫談論的是生與死，這是外國人也能理解的主題。

對體制內的人來說，三島由紀夫應該是很麻煩的存在，所以媒體也不太會報導這一號人物，日本人都不太願意評論三島由紀夫，他在海外的評價反而比較高。

三島由紀夫的作品，是用靈魂寫下的人生軌跡，秉持著覺悟寫出來的文字，他實踐了自己信奉的理念，因此文章也大放異彩。

我認為，他攀向了理性的極限，從這個角度來看，我滿羨慕他的人生。

人生中有很多事無法用理性詮釋，那就是精神和感性。三島由紀夫接觸了武士道後，也找到了自己的精神和感性。生與死是最重要的大前提，從生死觀衍生出來的精神性，才是塑造日本這個國家的關鍵，他很清楚這一點。

然而，日本在戰後打著理性的大旗，盲目追求物質上的豐饒，放棄了原有的精神。就某種意義來說，三島由紀夫是在感嘆自己的國家。

研究多媒體本身就是一種理性上的追求，我在研究多媒體的過程中，很訝異日本有這麼瀟灑又聰明的人物，這對我造成不小的衝擊。

15 哲學書為生活打下扎實的素養

有些人說岩波文庫的日文太難，這點我也有同感，所以我特地挑選一些比較好懂的類別。

比方說，我不會讀古希臘哲學家柏拉圖（Plato）的著作，因為內容實在太難懂了，不過古羅馬哲學家塞內卡（Seneca）的著作就相對容易，像《論生命之短暫》（*On the Shortness of Life*）這部著作就滿好懂。

因為塞內卡本來就寫得不難，他不是寫單純的哲學，而是在寫人生哲學。

荷蘭哲學家斯賓諾莎（Spinoza）的《倫理學》（*Ethics*）我也不讀，德國哲學家黑格爾（Hegel）、康德（Kant）、笛卡兒（Descartes）也一樣，我一開始就決定不碰那些書了。

同樣是岩波文庫出版的作品，讀起來太花時間的我一概不碰。我從那時候就明白，要捨棄不符合性價比的事物，更何況岩波文庫還有很多單純有趣的書。

德國浪漫主義文學先鋒歌德（Goethe）的相關作品我就有讀，德國詩人艾克曼（Eckermann）的《歌德對話錄》（*Conversations with Goethe*）非常有趣。我也讀了德國哲學家尼采（Nietzsche）的著作，他的作品很好吸收，內容我也都掌握住了。多數人以為尼采的作品艱澀難懂，其實不然，尼采本身的文字就很好懂，但一些較為瘋狂的言論要特別留意。

德國哲學家叔本華（Schopenhauer）的作品我也看了不少，讀起來頗花時間，但每頁都有深厚的內涵。叔本華的文章寫得很有條理，吸收起來並不困難。

寫得太艱澀的書，以及古希臘人的論述我就看不下去，當然看不下去有可能是翻譯的問題，但最大的原因是那個時代的人，價值觀和我們差距太大。

岩波文庫出版的塞內卡、尼采、叔本華、歌德著作，稱得上是我人生中的導師。學術書、哲學書、古典名著，會幫我們打下厚實的人生骨幹，有了人生的骨幹，未來遇到狂風暴雨也不會摧折，頂多受點震撼罷了。

沒有厚實的骨幹，只會長成一棵外強中乾的樹，抵擋不了暴風的摧折。我們要塑造強壯的骨幹，人生才不會一遇挫折就無法振作。

好比蓋房子一定要打地基一樣。打地基是最單調乏味的工作，但沒打地基不可能蓋好房子，地基沒打好，遇到地震房子就會垮掉，不耐震的房子，蓋得再漂亮也沒用。

雖然美感也很重要，但我的意思是骨幹和美感不可偏廢，因為扎實的骨幹是看不到的內在要素，所以大部分人懶得耗費心力去培養。

現代社會充斥著金玉其外、敗絮其內的現象，也是一大問題，我們必須重新找回做人的初衷。重視外在，開枝散葉固然重要，但培養骨幹也不可偏廢。

沒有骨幹的人會永遠揣揣不安，心中充滿不滿，但主要是對過去和現在不滿，不是對未來，畢竟未來還沒發生，雖然我們可能也會對未來感到不安，這是多數人都會有的，但「對過往的不滿」與「對未來的不安」完全是兩回事，這與做人的骨幹有關，不是細枝末節的技能可以應付的。

要有堅實的骨幹和方向，才能抵抗不安。經歷過大風大浪的前人，他們的經驗有值得學習的地方。

從這個角度來看，讀書的用意是要讓自己活得更好。我讀書就是為了生活，這也是岩波文庫帶給我最大的體悟。讀書不光是在學習知識，學術書、哲學書、古典名著全都是生活的必要素養。

不少人懷疑，閱讀是否真的對人生有幫助？至少對我個人來說，閱讀始終很有幫助。我為了生活讀書，書也確實化為我的力量。

16 與其土法煉鋼，不如學習前人的智慧

三島由紀夫有各種面貌，他寫的文藝書、散文、武士道論述、日本論述，都能看出不同的深度。

我也看過他寫的小說，他真的很擅長寫出清晰的脈絡，我認為他對人性也有很深刻的了解，比方說他對討好女性的話術很有一套，三島由紀夫很清楚某些話術，會對女性的心理造成何種作用。

他書中的主角就知道，如果想要吸引有錢的女人，應該怎麼刺激對方，時而不修邊幅，時而西裝筆挺，用這種落差迷惑女性很有用，有些女性確實抵抗不了這樣的魅力。三島由紀夫掌握了人性，也看透讀者的人性，因此他很清楚，在哪些場面使用特定的語言可以打動人心。

如何挑起讀者心中的情感，是作家一項至關重要的能力，唯有感動，才能刺激讀者的感情，三島由紀夫是感動人心的天才。

他非常清楚，怎麼做可以刺激讀者的感情，並讓大家感動。所以，他的演說同樣感動人心。YouTube上不只有他用日文演說的影片，還有他用法文演說的片段，看起來真的很瀟灑又帥氣。

他用英文演講的時候，也會讓美國人眼睛為之一亮，演講的詞彙雖不多，但字字句句直指人心，明明講的是英文，卻跟說日文時一樣充滿威嚴。

他不會多說任何一句廢話，每一句話都含有扎實豐富的內涵，他寫的文字，也有鼓舞人心的作用，不是隨便看過就好。

這點跟叔本華有異曲同工之妙。叔本華和三島由紀夫的共通點，就是他們都有極強的理性，遣詞用字也華美無比，但兩者最大的差異在於，叔本華是壽終正寢，三島由紀夫則在人生最璀璨的青壯年時期結束生命。人生的哲學不同，文章的熱度也就不一樣。

尼采和三島由紀夫比較接近，尼采是癲狂至死，所以他的文字也頗有特色。

塞內卡也是選擇自己結束生命。從這個角度來看，三島由紀夫、塞內卡、尼采或有共通之處；幸福過完一生的歌德和叔本華，跟他們不太一樣。

當然這是我個人的見解，我只是基於他們的文章和事實，寫出我的感想。有些人可能不明白，知道這些可以做什麼，對吧？

我認為，學識才是人類的核心，每個人的社經地位雖有高下之分，但最後決定成敗的是人性的力量，也就是精神力。

精神的境界和宏觀的視野，奠定了人類的核心。所謂的心有靈犀一點通，指的就是本質上的共通點。當你遇到一個優秀的人，對方就是從這點，來判斷你是不是一個值得交流的人。

你的內在涵養，最終會呈現在你的談吐、文字、行為舉止上，所以你要有深厚的精神素養，這是假裝不來的。

事實上，位高權重的人也會讀學術書、哲學書、古典名著，應該說他們非讀不可。有一些境界無法靠一己之力達到，法國哲學家伯納德（Bernard）說過，我們每個人都是站在巨人肩膀上的小矮人。

個人的見識和眼光有限，但可以站在前人建立的知識遺產上，掌握更寬廣多元的視野。你的見識有多高，取決於你讀了多少書。

做任何事都要講究方法，靠自己土法煉鋼絕對不會成功。要跟先人學習，效法他們的方法，學會後再思考如何發展自己的原創方法，用於個人和用於社會的原創方法是不一樣的，想要孕育出通用的方法，一定要先學習過去的知識。

先徹底學好前人的知識，才有本事打造出屬於你自己的方法。

17 有閱讀不等於會思考

從學術書、哲學書、古典名著尋找啟示，還得留意一件事，我在前文提過，讀書是最適合用來提升思考力的方式，讀學術書、哲學書、古典名著更是如此。

也正因如此，讀這三大類型的書要特別留意，不能只是被動吸收知識，這樣無法掌握思考力。我一再重申，讀書不是單純獲取知識就好，也是出於這個觀點。

叔本華也有提到讀書的危險性。他的結論是，讀書是用別人的觀點思考，最終會損害自己的思維。

人類的大腦有分「讀書腦」和「思維腦」，這兩者是不一樣的，讀書腦承受外在刺激，思維腦發揮內省能力。讀書是吸收別人的思維，形同穿上二手衣物。

思維指的是自己的思考能力，形同自己的新衣服。你不該用讀書代替思考，這樣做是不健全的。

俗話說得好：「地圖和真正的地理狀況是有落差的。」讀書也不等於思考，這就如同閱讀旅遊書，和實際去旅遊完全是兩回事。

叔本華說過，讀書是銀箔，思考才是純金，他甚至批評，被動讀書是在戴假牙。

當然，你需要知識來當作思考的材料，讀書不見得是壞事，我的意思是，**不要讀了書就以為自己有動過腦，這是很危險的錯覺**。

不肯自己動腦，還把別人的想法當成自己的想法，自以為掌握了至高的境界，這是大錯特錯，這才是叔本華的意思。

叔本華並沒有否定讀書，他是在告誡我們，空有一身學問是不夠的。博學多聞可以充當思考的材料，倒也另有一番用處，但我們不該把讀書當成首要之務，而是要主動思考，否則學問再多也沒用。

利用讀書開拓視野，再多動腦深化思維，這種分工方式才是最合宜的。讀書不該搶了思考的風采，更不應該代替思考，閱讀和思考是兩回事，就好像意志不等於行動。

多數人都以為，讀書是為了獲取知識，但這只是第一層意義，重要的是獲取知識後提升思考力。商業書和實用書稍微讀過就好，但要提升思考力，最關鍵的還是學術書、哲學書和古典名著。

知識、知性和智慧各有差異，以料理來比喻的話，知識是食材，知性是食譜，光有食材和食譜，還是煮不出一道佳餚。

要有豐富的烹飪經驗，實際了解各種烹飪的狀況，才能掌握烹飪的技術，空有食材和食譜，沒有實踐經驗是煮不出好菜的。**沒有實踐的知識，稱不上真正的智慧**。

因此讀了前人的智慧，不要以為已經掌握了智慧，沒有實踐的知識無法帶給你智慧，唯有實際去體會和感受，才能擁有智慧，這才是思考，才是真正的行動。

獲得知識和知性不是最終目的，那純粹是手段，讀書要對你的人生有益處，你得提高生命的價值，成為一個更優秀的人，不光是追求社會地位，謀求名利。

讀書會讓你的精神更成熟、更豐富，帶給你自由又美麗的人生。**閱讀不該僅止於閱讀，而是人生的起點，一個整裝待發的起點**。

18 網路文章和報導無法超越書本的事實

我到日本後，有一個很深刻的感觸，就是很多人都被報章雜誌等媒體束縛了。我剛到日本的時候，也會看日本的五大報紙，還花了我不少時間，這純粹是出於自我強迫，我認為自己必須時時刻刻吸收資訊。

可是這十五年來我幾乎沒看報紙，生活也沒出什麼問題。大家都以為不看新聞的人跟不上時代，其實正好相反。

不去看紛擾的訊息，才看得清事物的本質，對外在環境的感受也會特別深刻，不會再幻想自己是一個跟得上潮流的人，可以活得更加自在。

從這個角度來看，不看報紙和新聞反而是好事，不去追逐轉瞬即逝的話題或潮流，而是尋找經過時間淬鍊、真正有價值的事物。

與其花時間看報紙，不如多花點時間閱讀對你有幫助的書，把同樣的三十分鐘或一小時，發揮不一樣的價值。

我的手機當然也會收到即時新聞之類的訊息，但我不會主動去訂閱新聞，也沒有訂閱要付費的資訊，無視瑣碎的小潮流，才看得到真正的大趨勢。

我也懶得看網路社群上的訊息，因為我看重和自己對話的時間。想跟自己對話，還是要拿書起來讀才行，**讀書才能真正跟自己對話**。

網路是迅速獲取資訊的利器，但必須了解，即時的網路新聞和記者詳細調查的新聞報導，兩者的價值有天壤之別。

現在這個時代，網路上幾乎找不到超越書本的文章，歸納成冊的觀念和想法，跟網路上浮濫的文章不能相提並論。

好在世上有著作權這項保障，很少有書會在網上免費公開，所以書和網路的價值有極大的差異。

在書中才找得到焠煉過的優良資訊，至於網路上的資訊，只是每個人都能隨意取用的速食，你很難確定網路上的文章是否正確、是否有價值。

真正的記者寫出來的報導，之所以能成為無價之寶，原因也在於此，每位作家的著作都有編輯把關，書是作家和編輯共同創作的，書中的內容都有依據，也有經過查證。書的內容和呈現方式也經過焠煉，書中的文章沒有過多的雜質，你可以看到比較原汁原味的內容。

如果你很重視自己的時間，應該好好思考，寶貴的時間要花在哪些事物上，想要接觸品質精良的資訊，就應該花時間好好讀書，不要浪費時間瀏覽網路訊息，這對你的精神也比較有益。

換句話說，請審慎思考你要的是速效，還是可以強化知性的扎實內容。

從這個角度來看，動不動就拿起手機來殺時間，是一件非常危險的事，對你沒有任何益處。

第3章

掃描式閱讀：第一次十分鐘，了解全書樣貌

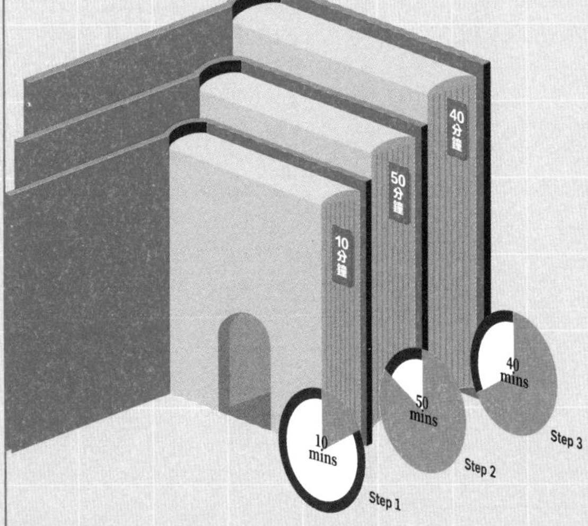

19 先看目錄，隨手翻一遍

接下來，我要詳細介紹「間歇高效率的三次閱讀法」。「第一次」先花十分鐘掃視一遍，又稱為掃描式閱讀。

十分鐘主要用來掌握全書架構，先掌握架構再來閱讀，比在一無所知的情況下閱讀，更能深入了解整本書的全貌。掌握書的架構，會發現作者真正的核心概念。

前文也提到過，閱讀商業書或實用書，要過濾大約八成的內容，否則很難記住真正重要的訊息，畢竟我們不可能背下整本書的內容。

就好像工作時，會先列出優先順序一樣，讀一本兩百頁到兩百五十頁的書，必須弄清楚哪些內容特別重要。

真的有心吸收作者的精華，就要用去蕪存菁的方式閱讀，一邊閱讀一邊過濾內容，不要抗拒這樣的閱讀方式，就能達到去蕪存菁的境界。通常一本兩百頁的書，過濾後會留下四十頁的內容，那四十頁要好好理解才行。

有人問過義大利藝術家米開朗基羅（Michelangelo），他是如何雕塑出大衛像的？他說他並沒有雕塑大衛像，大衛像本來就在石塊中，他只是把不必要的部分去掉而已。

同樣的道理也適用於思考、對話和閱讀，知識的大衛像就潛藏在書中，要用去蕪存菁的方式閱讀。捨棄就是一種獲得。

用這樣的方式閱讀，閱讀速度會快很多，記住不是單純閱讀就好，而是要去尋找珍貴的部分，當你有心尋找真知灼見，就會明白去蕪存菁是必要的。

因此掌握書的架構和概要至關重要。**先看一遍目錄，了解概況，然後隨手翻閱一遍就好。**

這裡要注意的是，作者認為重要的事，你不一定要看得很重要，閱讀要保持自己的主體性。

先想好你的閱讀意圖，你想從書中得到什麼？你讀這本書，是希望創造出什麼樣的價值？換句話說，你要設定閱讀的目的，有明確的閱讀目的，才會有閱讀的優先順序，掃描式閱讀才有效果。

掌握書的架構，了解內容的優先順序後，再來要決定「第二次閱讀」的時間分配。有時候我會先讀最後一章或後記，大多數的作者，會在前言挑起讀者的期待，希望讀者一直讀到最後，因此結論都是寫在最後面。另外，作者也會在書的最後，寫下自己的創作意圖。

人在臨別時寫下的話語，認真程度不亞於真心告白，因為人都想留下好印象，所以作者會寫下最想表達的重點，或是希望讀者口耳相傳、銘記於心的內容。

先讀最後一章或後記，整本書讀起來就比較容易，如同搬重物行走，事先知道終點和路程，走起來就不會那麼疲累，同樣道理，先知道運動比賽的結果，剩下的看精華剪輯就好。

事先掌握作者一直隱而未發的結論，更容易找到書中的重點，也更方便跳過不重要的內容。

20 嚴格遵守時間的限制

「第一次閱讀」先花十分鐘，要嚴格遵守時間的限制。兩百頁的書花十分鐘讀完，等於五分鐘看一百頁，一分鐘要看二十頁。

就跟跑馬拉松一樣，落後的選手必須加快速度，但超前的選手不必放慢腳步，重要的是在時限內讀完，沒必要真的用滿十分鐘，多出來的時間可以進行下一階段的閱讀。

也許不少讀者認為，十分鐘讀完一本書太強人所難，多數人會在這個階段碰到障礙，因為害怕忽略重要的部分，所以沒辦法略過大部分的內容。

再重申一次，有些人的性格認真嚴謹，而且有必須徹底讀完一本書的自我滿足欲望，這也是無法吸收重點的原因。

可是，**不略過大部分的內容，就吸收不到真正重要的訊息**，這點務必記得。明白這個道理，就會有去蕪存菁的勇氣。

隨手翻閱雖然是一種不經意的狀態，但請不要小看自己無意間看到的內容，我們的潛意識其實看得很仔細。

後文還會講述「第三次」的書寫式閱讀。有些人對於弄髒書本有很強的罪惡感，彷彿對書有什麼信仰一樣。

書是灌溉人生的聖品，的確應該尊重，這樣的觀念並無不妥，但請限於文學類著作就好。至於商業書和實用書，就不必用這麼謹慎的心態閱讀。我希望大家讀完本書後，能學會用不同的心態讀書。

再重申一次，請不要太相信自己的記憶力。我們無法記下書中全部的內容，一本書有可能花了兩週閱讀，兩週後卻還是連大意都講不出來。

與其浪費時間又記不住，不如花一百分鐘精讀，讓自己永遠牢記在心。這就是我的建議，以積極主動的心態閱讀特定領域的書，像是商業書和實用書，你的閱讀速度會變得非常快。

多次接觸同一個領域的資訊，你會發現每本書的脈絡都差不多。就好像從不同的角度欣賞同一座雕刻，大家只是從不同的角度，闡述同樣一件事，類似的著作讀多了，就會發現這一點。

每次都看同樣的東西，沒必要全部都看完。接觸過一次後，就會有粗淺的認識，即使沒刻意牢記，也能有相同的效果，這就是潛意識的作用。不必特地強記，也能感受其中內涵。

另外，有一點我要特別強調，花一百分鐘讀三次書，多數人會覺得只花一百分鐘沒有多大的用處，事實上，這一百分鐘的閱讀，比你想得還要有效。

一百分鐘讀三次，從某個角度來看是讀書方法論，也是時間管理論。當你集中所有專注力，聚精會神閱讀一百分鐘，那種效果是不可小覷的。

時間就是我們的生命，區區一百分鐘也非常寶貴，必須好好利用才行。

花好幾個小時、好幾天、好幾週閱讀，如果沒有任何收穫，根本是在浪費生命。換句話說，我們應該用最少的時間，達到想要的目的。

21 把閱讀時間排進行事曆

有些人常抱怨自己沒時間讀書，但這種想法有根本上的謬誤。你要主動安排時間讀書，而不是有空才讀書。

關鍵在於，讀書在你的人生中占有多重要的地位？你有沒有把讀書當成一件很重要的事？

人生在世，應該把讀書當成最重要的事。我個人就是如此，我也深信每個人都該這麼做，讀書是很有價值的一件事。

喜歡書、喜歡閱讀的人不在少數，他們都希望讀更多的書，可是卻經常抱怨自己沒時間，說穿了，他們是沒把讀書這件事放在心上。

因為沒放在心上，所以才沒時間讀書，讀起書來也特別花時間。這種人不懂得用嚴

肅的心態閱讀，讀書方法也缺乏實踐性，自然是在浪費時間。

必須重視讀書，把讀書看得跟吃飯、運動一樣重要，如此一來，就算再忙碌，也會抽出時間來看書了。

美國微軟聯合創始人比爾・蓋茲（Bill Gates）、股神華倫・巴菲特（Warren Buffett）等愛看書的成功人士，也有同樣的看法。不是有空才看書，而是先看完書，再善用多出來的時間。很多成功者把閱讀當成生活中的大事。

因此閱讀時間也要錙銖必較，盡可能增加閱讀時間，並且有效利用，一旦決定一百分鐘要讀一本書，就要排除萬難，達成目標。

一開始準備鬧鐘比較好，「第一次閱讀」設定十分鐘，「第二次閱讀」設定五十分鐘，「第三次閱讀」設定四十分鐘，全部都用鬧鈴管理。

讀書是人生最重要的事，花一百分鐘看完一本書，也應該當成讀書最重要的任務。不要想著是否可行，而是一定要做到。

先訂出明確的時限，嚴格遵守。假設兩小時後一定要繳交企畫書，那麼時間一到，無論品質好壞，非完成不可，這就是限時帶來的效果。

同理，下定決心在一百分鐘內讀完一本書，對自己確實下達這項命令，就真的能在一百分鐘內讀完。

做不到這點的人，大該花五百分鐘也讀不完。請先為自己設定一個普通標準，花一百分鐘閱讀三次就好。

最重要的不是你能記住多少、理解多少，而是在一百分鐘內讀完三次。至於理解得正不正確並不重要，一開始先求讀完就好。

事先決定好時限，下定決心一定要辦到，如此一來，讀書就會有覺悟，這是最基本的第一步。

重視生命的人，或許連一百分鐘也捨不得花，畢竟讀書是否值得也沒人說得準。不過任何書都值得花一百分鐘閱讀，只有少部分的書例外，這是我大量閱讀後得到的體悟。作者和編輯耗費數月做出來的書，值得你花上一百分鐘。

進一步來說，讀書有沒有效果，跟閱讀方式有關，當然，不好的書也所在多有，但只要讀書有明確的自主意識，再差的書都能帶給你體悟。

真正優秀的讀者不只會選好書，連不好的書也能當作學習的材料。有人讀同樣的書沒有獲得任何體悟，但優秀的讀者卻能吸收很多知識。你的收穫取決於閱讀方式。

然而，凡事總有例外，後文會介紹該如何處理不好的書。

22 閱讀不是時間花越多越好

時間就是生命，也是人生在世最重要的東西之一。讀書確實很重要，但不代表你該把所有時間花在讀書上。

我跟很多人聊過讀書的話題，發現他們讀書都沒有設下時限，這是最嚴重的問題。他們閱讀的時間，取決於多久看完一本書。其實讀書應該事先訂下一個時限，讀書是人生的重要事項，但時間比讀書更重要，時間就是你的生命。

所以要替自己訂下時限，有了時間限制，才會用嚴肅的態度，趕在時限前讀完一本書。如同一份工作，有了時限，大家才會認真完成，讀書也是一樣的道理。

反之，沒有時限的工作永遠做不完，大家只會拖拖拉拉、打混摸魚。

設下時限非常有效，你要下定決心，在一定時間內讀完。只不過短時間內一次讀完太困難了，因此要分三次閱讀，你才會有宏觀的視野，稍微掃視就知道重點在哪裡。

要馬上學會這項技能並不容易，但你還是要堅持下去。先下定決心在一百分鐘內讀三次，然後實際嘗試。分別花十分鐘、五十分鐘、四十分鐘，這個時間規定很重要，有規定才有辦法達成目標。

光靠努力是沒有用的，還要有方法。有了一套既定的方法，任何人都辦得到，這就是方法的重要性。

反之，靠自己的判斷行事反而有難度，搞不好還會一事無成，但若有人教，你就可以掌握訣竅，做得很好。

商場上通常都有一套行事準則，大家會按照準則，做好該做的事，任何人參考行事準則後，都能辦好手上的工作。

同樣的道理，先決定花一百分鐘閱讀三次。第一次花十分鐘讀完全書，第二次花五十分鐘正式閱讀，第三次花四十分鐘深入閱讀。不必計較這是不是正確方法，先試著去做就對了。只要相信一套方法，就會做出一番成果。

相信你試過後也會有同樣的感受。**短時間內閱讀三次，比你耗費大量時間只閱讀一次更有收穫**。這樣的感受會化為你的成功經驗，帶領你積極向前。

更何況，花一百分鐘讀一本書沒有壞處，既能節省時間，又能抓住重點。如果你花兩週閱讀，結果一絲內容都記不住，還不如用我的讀書方法比較有效。

請去除心中的成見，讀書不是花越多時間越好。你應該好好思考，耗費大量時間閱讀是否真的有效果。

耗費的時間越多，其實理解程度越低，也越難抓住重點。你要懂得懷疑一般人普遍認為是對的事。

閱讀的次數比閱讀的時間更重要，對記憶力和理解力也更有幫助。記住這個要點，你對閱讀時間和理解度，會有不一樣的看法。

當你明白時間花得越多，理解度反而越低，相信你也會略過不重要的部分。請排除成見，不要再以為時間和理解度成正比了。

時間花得越多，越不容易抓住重點。增加閱讀次數，對理解力和記憶力才有幫助。

前文提到，人類有很強的感知能力，就算你飛快翻閱一本書，潛意識也會仔細觀看當中的內容，不要太小看這項能力。

短時間閱讀還有一大好處，就是專注力較佳。你能保持最佳的專注力看完整本書。心理學中有所謂的心流狀態，這是一種非常專注的狀態，思緒不會妨礙到當下的行動。人一進入心流狀態，連時間觀和自我都會被忽略。

不過我的讀書要訣是不能忘記時間，雖然要專注在書上，但還是以時間為優先。為此，請事先排除會妨礙你的事物，例如關掉手機，或是利用通勤時間讀書的話，最好讀一些比較輕鬆簡單的主題，選擇能在短時間內專注閱讀的書。

我在慶應義塾大學任教時，發現只給學生一週時間準備簡報，水準反而比花三個月準備的要好。

很多人都相信花費的時間和效果成正比，可是事實正好相反，**時間花得多，代表你沒嚴肅看待時間，目的也不夠明確**。因此要先完成最重要的事，講究時間的分配，才會事半功倍，不要再以為時間和成果一定會成正比。

23 判斷一本書值不值得讀下去

有些讀者可能不明白，雖然時間很重要，但為什麼要這麼計較閱讀時間？理由在於，為了能大量閱讀。

很多人都想多安排一些閱讀時間，也的確有不少人花大量時間閱讀，不過我認為該增加的是閱讀的數量，而非閱讀的時間。

有調查顯示，美國有七成左右的人一年讀不到一本書，而且是完全不讀書；日本人不讀書的比例很低，會讀書的人都讀很多書，意思是確實有好好花時間閱讀。因此我希望大家多多思考，閱讀能帶給你哪些成效？用這種角度思考，你會發現自己的讀書方式有缺陷。

有了速效的讀書方法，你就能閱讀更多的書，體驗更多不同的世界，甚至邂逅更多美妙的書。

大量閱讀，才能掌握有益的讀書方法，讓閱讀經驗豐富你的人生價值。

每個人的見識都有極限，世上肯定有我們不知道的事，以及沒經歷過的體驗，書幫我們把這些知識經驗都統整好了。

花小錢就可以獲得作者的人生教訓，這是很奢侈的一件事。

然而，還是有很多人不願意花時間和金錢讀書，連想要讀書的欲望也沒有。有讀書和沒讀書的人，差距會越來越大。

有讀書的人視野會越來越開闊，工作能力和知識也會更上一層樓，反過來說，沒讀書的人生產力會下滑，精神也將更加貧困。

讀書沒有壞處，喜歡讀書的人就是明白這一點，才會樂此不疲。我相信很多人都喜歡閱讀，但大多數人採用的，都是沒效率、沒效益的讀書方法。

因此我希望大家在閱讀商業書或實用書時，可以改變一下閱讀方法。用「間歇高效率的三次閱讀」技巧，閱讀商業書的心態會有很大的轉變，不再只是被動吸收知識。

等有辦法在短時間內抓出重點，就能馬上判斷一本書對你的幫助有多大；稍微在書店翻閱，就知道那本書有沒有用了。

有些書的題材不錯，但作者寫的內容不怎麼樣，呈現的方式也不夠好，你會立刻發現這些缺點，看一眼就知道書的水準如何。

這就好像我們剛認識一個人，跟對方交談一分多鐘，就可以大略知道那個人的思考和表達能力。讀書也能做到類似的判斷，你可以看出一本書的好壞。

選擇一本書，等於是在決定要把寶貴的生命，耗費在哪一本書上，所以要有精挑細選的眼光，萬一不慎選到不好的書，就等於浪費了一百分鐘。

再重申一次，一百分鐘非常重要，關鍵在於你要仔細辨別，判斷這本書值不值得你花一百分鐘。

24 時間短，更容易養成閱讀習慣

節省閱讀時間還有一個好處，就是容易養成閱讀習慣。有心讀書卻遲遲無法付諸行動的人，多半想靠幹勁來維持閱讀習慣。問題是，人類的幹勁並不可靠。

聰明人會想方設法養成習慣，而非依賴自己的幹勁。把習慣化、系統化的思維融入日常生活中，讀書就會是一件稀鬆平常的事。

這就跟每天固定運動一樣，養成運動習慣的人不會覺得痛苦；反之，不習慣運動的人會覺得很辛苦，認為自己撐不下去。

閱讀也要養成習慣，養成習慣後自然會安排時間、大量閱讀。**讀一本書花的時間越短，越容易養成閱讀習慣。**

假設你每天花一百分鐘讀一本書，一年就等於讀了三百六十五本，這並不困難。你可以早一個小時起床，先讀「第一次」和「第二次」，等下班回家再讀「第三次」。

也可以利用通勤或午休時間，例如上班搭車時，先花半小時，下班搭車再花半小時，午休也花四十分鐘閱讀，這樣一天就有一百分鐘了。

做不到每天一百分鐘的話，分兩、三天達成也沒關係，不然分一週也行，也就是用七天的時間閱讀三次。這樣等於一週讀一本書，一個月讀四本書，一年也有將近五十本的讀書量。

請先空出一百分鐘，這是每個人都辦得到的事，不過如果我叫你先讀一本書，安排讀一本書的時間，你大概會覺得很困難。

先安排一段時間比較好養成習慣，你要思考哪一段時間能拿來用，然後用那段時間來閱讀。決定好閱讀時間後，不管發生任何事都要執行到底。

等你掌握了「間歇高效率的三次閱讀」技巧後，到任何地方都能運用這套方法，在咖啡廳、捷運裡、午休的辦公室，都不會妨礙你閱讀，這三次閱讀你可以分開，不必連續閱讀一百分鐘，利用空檔就行了。

只有十分鐘空檔，就先閱讀「第一次」，有時間的話，就來讀「第二次」、「第三次」，萬一中途沒空，就先放個書籤，剩下的等有時間再看就好。

還有另一種方法。假設你通勤要花半小時，那就帶三本書在身上，每本先花十分鐘閱讀「第一次」，隔天再閱讀「第二次」，「第三次」找時間看完就好。

將這一連串的方法養成習慣，執行起來就會一點難度也沒有。給自己一週時間，隨便找一天讀「第一次」、「第二次」、「第三次」就好，養成習慣後，你每天、每週都會閱讀。持續運用這套方法，你會發現自己越來越有信心。只要懂得掌握書本的架構，就能飛快讀完一本書了，你的閱讀速度會變很快。

然後你會了解書中的金礦在哪裡，同時明白為何看書要目光如炬。掌握了宏觀俯瞰的技巧，就能在十分鐘內找到重點，保有宏觀的視野，等於有自行處理資訊的能力。「第二次」閱讀你可能會有意外的發現，「第三次」閱讀更能深入思考書中的內容。

不過你要先讀完三十本書，才能掌握這樣的讀書技能。讀完十本只是先了解皮毛，讀完二十本才會略有領悟。

所以，你更應該養成閱讀習慣，做任何事都是同樣的道理，有恆心才有機會成功，沒有恆心的人做什麼都注定失敗。

成功有三大條件：

1. 你的目標必須對你有很重要的價值。
2. 做大事要分階段進行，一天做一點，沒有人可以突然完成大事，分解遠大的目標，思考自己每天能做些什麼，來慢慢接近目標。這是歌德說過的名言。
3. 日積月累堅持下去。

如果你做的事無法打動你自己，或目標太過遠大，就算你每天辛勤耕耘，也同樣不會成功，三天打魚五天晒網的態度也不會成功，成功需要這三大條件，缺一不可。

為什麼成功人士都有專業技能？理由在於他們養成習慣，光靠幹勁硬撐有極限，養成習慣才是培養專業技能的關鍵。

25 遇到不好的書，需要放棄閱讀的勇氣

萬一遇到不值得看的書，該怎麼辦？我個人是直接放棄不讀。

經濟學中有沉沒成本和機會成本之說。

投資打水漂的部分稱為沉沒成本，機會成本則是善用機會得來的最大利益。

比方說，你花了一千八百日元（約新台幣四百五十元）看電影，光看十五分鐘你就確定這是一部不好看的電影，如果你覺得花了錢沒看完很可惜，繼續看到最後，這就是沉沒成本。

反之，盡快離開電影院，剩下的一百分鐘可以拿來看書、工作或上網，懂得利用剩餘時間價值的人，就是在運用機會成本。

總之，堅持沉沒成本的人不會成功，他們不會思考機會成本，僵化的頭腦轉不過

來。這種人只會因循苟且，不懂得思考真正該動腦的問題。

重視機會成本的人，一發現有問題會立刻改變行事方法，不只看電影如此，做任何事都是一樣的道理，在職場上和生活中同樣如此。他們不會錯失任何機會，而且勇於挑戰。

有時候我們閱讀一本書，本能上會察覺那是一本不值得讀的書，這是有辦法察覺的。遇到不好的書，直接放棄閱讀也是一種勇氣。**放棄閱讀不好的書，才能用寶貴的時間去讀其他書。**這是你可以自己決定的，當你發現不該讀下去了，就不要勉強了。

要是你花了錢捨不得放棄，不妨換一個角度思考。放棄讀一本不好的書，或許可以邂逅改變人生的好書，這就是機會成本的思維。

當你養成了良好的想像力，就能轉變自己的思維了。也只有思維靈活的人，才能善用自己的時間。他們會思考剩下來的時間，該如何好好運用。

不管做任何事，都要釐清自己的抉擇。未來，這將是至關重要的特質。

相較於美國人，日本人比較不會積極表現自我，不願破壞團體秩序，在發表意見前，會深思自己的言行將對團體帶來何種影響。

所以過去我在慶應義塾大學任教時，會叫學生思考如何表達自己的意見，讓自己成為一個敢言的人，而不是整天看人臉色。

當別人問你意見時，你至少要敢說出自己的意見，不是說對任何事都要發表意見，而是在任何情況下，都要重視自己的想法。

不敢發表意見的，往往是最沒有主見的人。從整個組織的角度來看，這種人也是最容易取代的對象，因此我才會告訴學生，表達自己的所思所感非常重要。

閱讀也是一樣的道理，作者的確有了不起的地方，而讀者或許有不成熟的缺點，但我們終究是獨立的個體，沒有人可以陪我們走完人生，我們只能自行成長。

就算你再怎麼差勁，也不能放棄自己，閱讀的時候，要仔細傾聽自己的意見。

26 跟自己對話，把自己的抉擇當正解

養育小孩也是同樣的道理，大人不要只會灌輸正確的意見給小孩，讓小孩思考自己的想法和感覺，長大以後他們才懂得思考。

提供機會讓他們說出自己的體悟，他們才能掌握思考能力和表達能力。

要有自己的意見，而且敢於表達意見，才算是一個有主見的人。

反之，沒有自己的意見，甚至連這點自覺也沒有的人，到頭來會懶得思考。不用動腦確實很輕鬆，但長期下來會喪失人生主導權，落得被人支配的命運。

千萬不要看輕自己的主體性，要常保人生的主導權，主動精益求精，時時刻刻關注自己的想法。

有些父母太寵溺小孩，常替小孩做決定，剝奪他們從錯誤中學習的權利，因為從錯

誤中學習難免要吃苦頭，父母不希望孩子吃苦，就代替他們做決定。

美國和法國的父母可不會這樣，他們會帶三、四歲的小孩去餐廳點菜，萬一點到很辣或難吃的食物，小孩以後就知道該點什麼了，這樣有助於養成思考力，而不是事先告訴小孩哪些很辣、不好吃，不要點。

人類必須從錯誤中學習，才能學到最深刻的教訓，尤其失敗的經驗會帶給我們許多的啟示。父母剝奪孩子失敗的權利，孩子長大就沒有自主的能力，因為無法自主，也沒法替自己的行為負責。

因此這種人做不出決定，也不敢負責任。如果覺得這樣也無所謂，那就徹底失去自主性了。當別人詢問意願時，連自己的意願是什麼都不知道，因為你從沒有和自己對話的機會。

要有跟自己對話的機會，才會有一套自己的見解，不習慣跟自己對話，或是缺乏這種機會的人，長大後也不會知道自己的喜好和目標，連自己的所思所感都不清楚。

有些組織、企業和學校希望大家變成那樣。小孩不習慣跟自己對話，組織又不希望他們掌握思考能力，久而久之就養出一群沒有思考力、不懂得負責任的人。

現在時代改變了，今後沒有主見的人注定被取代，可能是被機器或電腦取代，或是被開發中國家的人力取代。

未來講究創造性的能力，必須要有電腦辦不到的技能。

在這個沒有正確答案的世界，要有創造解答的能力，這才是人工智慧無法取代的能力。

有答案的問題只要上網搜尋就夠了，你需要的不是這種能力，而是把自己的選擇化為正確的解答，這種能力是人類最後的堡壘，也是人工智慧和電腦比不上我們的地方。

活著就是把自己的抉擇當成正解，當你明白這個道理，才會發現抉擇的重要性。當你做出決定後，才會下定決心靠自己的本事，創造出獨一無二的解答。

這份決心才是未來最重要的特質。

27 閱讀像旅行，都在體驗不一樣的日常

讀書跟旅行很類似，旅行中的所見所聞固然重要，但這些所見所聞在你心中，能否孕育出不一樣的見解，這才是最重要的關鍵。對我來說，這樣的旅行觀念非常重要。

不過很多人旅行純粹是走馬看花，只有少部分人會用手機或記事本，寫下自己對所見所聞的想法。

閱讀也是一樣的道理，有人讀完就算了，也有人讀完會回顧自己的感想，但說得出自己感想的人非常少。

無論是旅行或閱讀，很少有人會注意到這一點，因此能做到這一點的人，旅行和閱讀一定特別充實美好。

這種人看到任何事物，都不會輕忽自己心中的感想，讀書或待人接物時，不會喪失

主體性。

旅行本來就是在跟自己對話，去任何地方都要帶上自己的心。閱讀也是一樣，讀書是在接觸自己不熟悉的世界，體驗非日常的風景。

德國哲學家海德格說過，日常會麻痺我們的理性，在熟悉的舒適圈裡，人類不會產生嶄新的思維。要置身在非日常當中，才會刺激我們的感知能力，體會平常感受不到的領悟。

旅行有這樣的好處，可以讓日常和非日常對調過來。置身於非日常的場景中，才會注意到內心真正重要的事物，產生創造性的思維，所以記下旅行中的所思所感很重要。

閱讀也是在體驗非日常，但置身於書本中也要常保自主性。在全新的非日常體驗中，你才能和自己對話，了解自己的感悟。

我的讀書法和旅行有異曲同工之處。我去旅行絕不會看旅遊導覽，而是自己畫一幅旅遊地圖，自己動手畫旅遊地圖，有助於培養宏觀的視野，掌握整座城市的架構。靠自己掌握外在空間是很重要的技能，一邊觀察一邊製圖，在旅行的過程中確認細節。

畫完地圖後，我會坐上觀光巴士，遊覽各個觀光景點。首先搭上巴士掌握整座城鎮，順便尋找自己感興趣的景點，找到後，再思考自己的旅遊時間，要拿來觀賞哪些重點地區。

這跟「第一次閱讀」的訣竅相似，先瀏覽目錄和全書的架構，再思考整本書的閱讀重點何在，注意時間分配，開始閱讀「第二次」。

為了在旅途中找到自己真正感興趣的東西，我會先搭上觀光巴士。就算眼前有充滿魅力的景點，我還是會先搭上巴士了解大概，接著好好享受有計畫的旅行，同時感受偶然的際遇所帶來的樂趣。

比方說，我去自己感興趣的景點，會稍微到小巷裡轉一圈，體會偶然的際遇，正因為我是靠自己畫地圖，還有先搭巴士了解大概，才能享受到這兩種樂趣。

閱讀也是一樣，「第一次」要先抓重點，「第二次」才看得到更詳細的門道，獲得意料之外的發現。反覆閱讀三次的技巧，可以讓你充分享受非日常的樂趣。

第4章

正式閱讀：第二次五十分鐘，掌握重點和細節

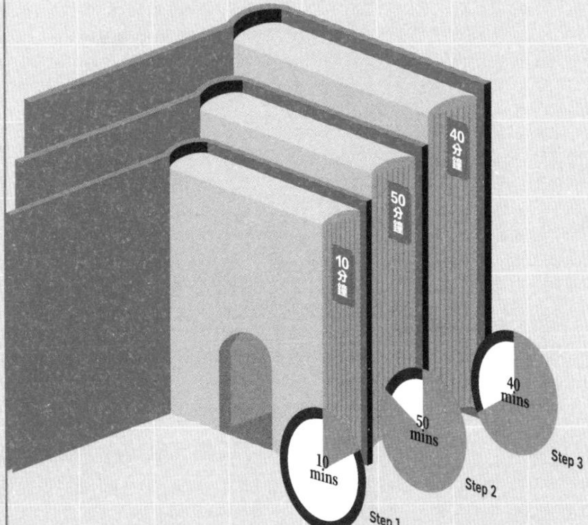

28 同時運用「顯微鏡」和「望遠鏡」的視野

這套「間歇高效率的三次閱讀法」，「第二次」才算是正式閱讀，要花上五十分鐘，深入理解書中內容，連細節也不放過。

第一次的掃描式閱讀，是讓你在第二次正式閱讀時，了解時間該如何分配。我經常用參加派對的例子，來解釋這個道理。

假設參加一場兩百人的派對（相當於一本兩百頁的書），你不可能只跟一開始碰面的人從頭聊到尾，這不是享受派對的方式，可是你也不可能跟每個人都花一分鐘的時間對話。

我參加派對會先思考，前十分鐘先掃視整個會場，了解大致狀況，好比哪些地方有什麼小團體？來參加的有誰？這跟「第一次閱讀」的用意一樣。

之後試著接觸其中幾個小團體，這就相當於「第二次閱讀」。以讀書來比喻，就是先了解各章的內容，剩下的時間再深入接觸最感興趣的團體（章節），或最有學識的人（段落或文句），跟對方深入交談，交換名片和社群帳號，期待未來有深交的機會。

未來的人生中，你們會有更深厚的聯繫，你也能藉由這段緣分，豐富自己的人生。

為了結識這些重要人物（段落或文句），在「第二次」正式深交前，要先了解如何分配時間和專注力。事先了解重點再來閱讀，這一點非常重要。

「第二次閱讀」也要保持宏觀的視野，以宏觀的視野掌握整體架構，同時盡可能深入了解細節。

跟「第一次閱讀」最大的不同在於，要**同時運用「顯微鏡」和「望遠鏡」的視野**，也就是宏觀掌握整本書的架構，並詳細閱讀內容。

一流的人才有辦法同時做到宏觀和深入，分別發揮顯微鏡和望遠鏡的效用。因此他們的視野開闊，對於細節的感受度和觀察力又十分優異。

綜觀書的整體架構，詳細看出門道，這是五十分鐘內要做到的關鍵。「第一次」閱讀要先找到核心，也就是書的根；「第二次」閱讀要順著根部，找到重要的骨幹和枝葉。

基本上不必太在意枝葉。提升資訊處理能力，不光是增加資訊的處理量，同時也要分清真正重要的資訊，換句話說，要懂得取捨。

要先了解哪些部分不重要，才能專注閱讀重要的部分，如此一來，才能善用有限的精力，發揮更好的閱讀效果。

有一個專業術語叫「預先編制程式」（Pre-programming）。在量化生產的時代，這套概念很常被拿來運用。豐田汽車的生產方式也一樣，在開始作業前要先排除一切多餘要素，這樣才能提升生產力。

還有人做過實驗，觀察勞工的動作來省去多餘的步驟，讓勞工專注高效率的製程。所有製程都經過科學化的設計。

「第二次」正式閱讀時，請在手上拿一枝筆，螢光筆或紅筆都可以，我個人建議用黃色螢光筆，看到感興趣的部分就畫起來，也可以說，這是為了畫線才閱讀的，這時候還不用讀得太深入。

我在搭乘觀光巴士時，會先找出感興趣的地方，然後深入了解那些景點。這種找出重點的行為，跟閱讀時畫線是一樣的道理。我找到的景點，都是我之後會想舊地重遊的關鍵地點。

你要在五十分鐘內讀完兩百頁，沒有時間停下來慢慢閱讀，重點是在既定的時間內看完所有的內容，讀完第二次畫好重點後，「第三次」再來深入閱讀。

29 先思考自己目前的煩惱和心情

接下來，我會教大家挑書和買書的方法，我認為書大致上有兩種作用，一是打造自己的職涯，另一項是替自己的人生做好準備。你要明白這兩點，把這兩點分開來看。

為了打造輝煌的職涯，你得閱讀知識類讀物，並且忍受當中的枯燥乏味。不過光是閱讀知識類讀物無法鍛鍊精神力，要踏入博雅教育的領域，才能累積更深厚的學養。

學問本來是不分領域的，過去的偉人都是跟家教老師學習，貴族的家教老師教的內容包羅萬象，從數學到文學都有。

後人把學問分門別類，目的是要推廣高等教育，才強行劃分學問的類別。

因此要勇於接觸自己不熟悉的領域，不要只看自己喜歡的，也不要管那是文科或理科的書，這樣一來，才能累積各領域的學識，比別人懂得多。

但用這種心態購買各領域的書，很多人買來沒時間看，書就會越積越多。想必有些讀者很好奇，應該先從哪些書讀起，對吧？

關鍵在於，**先思考自己目前需要哪些知識**？也就是先有一套判斷基準，再來閱讀堆積如山的書，有了判斷基準，就會明白哪些書本符合你的需求。

用這種方式閱讀，讀書速度才會快。整天望著成堆的書卻不思考，就無法排出閱讀的優先順序，更別說要撥出時間看書了。

先想一想，自己最近碰到了哪些問題？比方說，最近做事很有衝勁，但衝勁總是無以為繼，好習慣也培養不起來……從這種角度思考，你就知道自己該看哪幾本書了。針對自己的問題，選擇可以幫你解決問題的書就好。

請回想自己最近的煩惱，例如，近來人際關係不太順、情緒控管出了問題等，不要愣愣地看著眼前的書堆，閱讀前先花十秒到三十秒，思考自己現在需要什麼，這樣就能找到想看的書了。

還有一種閱讀方式是看心情決定，很多人吃東西也是看心情吧？沒有人可以每天都吃一樣的食物，有時候會想吃一點油炸食物，有時候則是想吃蔬菜、麵食等，每天的心情會影響你的抉擇。

所以要問自己到底想看什麼書，確認自己的心情，也許你想看故事類或管理學的書。成堆的書中，要是有符合你心情寫照的書，就趕快拿起來看，千萬不要隨便挑一本，這是漫無目的的閱讀方式。

書的價值，會隨著你當下的心情和目的而改變。你要重視自己的感受和需求，而不是被動吸收知識，請好好正視自己變化多端的需求。

這樣一來，你就會挑到適合自己的好書了。多做這個步驟，堆積成山的書就會越來越少。

買書其實就是在心中為自己許下未來。光是願意買書，就有很大的意義了。

只不過，如果沒有選好書的能力，你會花錢買到不好的書，然而現代社會資訊量太大，網路上也有許多堪用的訊息，與其花錢買不好的書，不如上網買資訊。

因此選書的能力至關重要，會選書手邊才會有越來越多好書。買太多不好的書，到頭來會埋沒難得的好書。

買書時要精挑細選，選擇你想留下來的書，或是希望再版的書。

當一個精明的消費者，市面上才會有更多好書，你看了才會更加精明。

30 學習新領域，至少讀三到五本書

速效的東西通常很快就沒用了，但不可否認的是，有時候我們的確需要馬上用到一些知識，有的問題很講究速效性，因此靠閱讀吸收速效知識也很重要。要配合閱讀的目的，在心中制定一套基準。

比方說，最先進的通訊類書籍，銷量多半都不錯。因為通信就是講究速效性的領域。我剛到日本的時候，想研究一項乏人問津的領域，所以努力學習多媒體的相關知識。在這個世界上，你有多少的競爭優勢，取決於你能否搶先得到資訊。

換句話說，比別人搶先取得知識，就能創造優勢，單純為了快速獲取知識而讀書也沒什麼不好，關鍵是要先搞清楚目的，看你是想獲得知識，還是想獲得知性？或是想增進自己的智慧？

倘若你必須取得新知，最好的方法就是大量閱讀。

比方說，你想深入了解某個地方的地理環境，最好的方法就是實際走訪，觀看各處的景致與成因；同樣的道理，大量閱讀某個領域的書籍時，也要分析每本書的內容有何關聯性。

釐清文章的脈絡是有必要的，用意是串聯每本書的內容。你會逐漸看清每本書的文章脈絡，了解所有知識的關聯性。

我在試圖理解一件事時，一定會從三個角度思考，分別是「關鍵概念」、「關聯性」和「全體性」。

理解關鍵概念十分重要，理解概念的關聯性也很重要，整體的方向性也不得遺漏。這三項缺一不可。

企業經營者和領導者，也都必須具備這三種觀點。員工若能理解每項工作的關聯性，就能明白整體經營方向，對組織做出巨大貢獻。

如果有一個掌握「全體性」的領袖，帶領大家齊頭並進，追求整個組織嚮往的目標，業績就會成長得更加迅速。

理解這三大項目非常重要，但首要之務是理解關鍵概念，且理解概念同樣講究以量取勝。

學英文就是一個很簡單的例子，我學習時，背下的單字量比母語使用者還要多，「單字」就是所謂的關鍵概念，單字記得多了，就能看出單字組成文章的模式，這就是所謂的關聯性，接著學習其他不足的部分，進步到理解全體的境界。

學習困難的科學技術時，最好先從關鍵概念學起。當你開始接觸一個新領域，打算慢慢熟悉內容的時候，最好先讀三到五本相關書籍。

讀了三到五本相關書籍，你就會有基本的認知了，在這段過程中，你的眼光會有些微的進步，能幫助你找到閱讀的重點。想要再更進一步的話，就得閱讀更多的新書，讀完三到五本最新的科學技術書籍，至少就能言之有物了。

那麼，這種情況下又該如何選書？參考書評是最有效的做法。媒體獨大的時代已經結束了，現在個人的評論比廣告或宣傳更有影響力。

重點是你能否分清哪一則書評寫得比較好，千萬不能被差勁的書評影響。

有些讀者會在意許多書的內容都很相似，但既然要多讀幾本書，就不必太在意，掌握宏觀的視野才是你該留意的事，所以不要深入某一個部分，而是用綜觀全局的方式閱讀書籍，才能理清全體的脈絡。

閱讀商業書的另一個重點是，你會碰到新的資訊或沒聽過的術語。閱讀英文文獻也是一樣的道理，每次遇到不懂的地方就停下來，你的閱讀進度會很緩慢，因此不必強迫自己全神貫注去理解。

只要記得自己有不懂的地方就好，反正之後還會再碰到，不用太在意。了解自己有不知道的地方，這才是重點。

當同樣的字或內容再出現，你會從文章的脈絡中，漸漸看出一個大概，因為會重複出現的字，一定是很重要的內容。

一開始看不懂是很正常的，浪費太多心力去理解，時間就會不夠用。人與人相處也是如此，重要的對象你一定會重複遇到好幾次，不用急著初次見面就要交心。

基本上，看商業書不要花太多時間，當然這也要看你閱讀的目的是什麼。重要的內容會重複出現好幾次，只出現一次的絕不會是重要的內容。

除非你時間很多，打算把整本書讀得很透徹，才要一開始就把每句都讀懂，不然重要的內容一定會再次出現，沒出現就代表沒有多重要。用這樣的心態閱讀商業書，對你比較有幫助。

31 讀原典前，必須做的事

學術類的書和古典名著，乍看之下無法立刻派上用場，但其實對人生很有幫助。許多人以為這些書跟現實生活一點關係也沒有，但我覺得這類書在人心中占有一席之地，學術書和古典名著是最能打動人心的作品。

不接觸這些書是很可惜的事，把這些書當成好夥伴，你的精神力會越來越強大，也會讓你的人生會充滿勇氣，不會被混亂的世局迷惑。只是，不少人覺得這些書太難懂。

比方塞內卡的《論生命之短暫》這本書，舊版的岩波文庫很難懂，用超譯方式簡化過的新文庫版，反而比較撼動人心，因為譯者替我們去蕪存菁，翻出了作者的本質。

事物的本質是不會改變的，所以要先掌握本質，之後再讀舊版的岩波文庫就很好懂了，舊版的原汁原味也別有一番韻味。

讀學術書或古典名著，不要直接拿起來讀，要事先了解相關的知識，好比古典名著廣受好評的理由，以及內容的基本架構。先了解這些知識，理解力就會大幅提升。

你對作者的理解程度，會影響你閱讀的順暢度。深入了解作者的生平，你會覺得自己在跟作者對話。

了解古典名著的作者，還有作者撰書的原因，可以更深入了解作品，連同時代背景也一清二楚。

你很難徹底剖析古典名著的脈絡，但了解作者的生平，就能知道大概了，而且對作者也會更有親切感，遇到比較難懂的字句也讀得下去。

比方說，塞內卡曾是羅馬第五代皇帝尼祿的老師，後來還輔佐尼祿處理政務，可是最後尼祿變成暴君，下令塞內卡自盡。光是知道這一則故事，你就會覺得《論生命之短暫》這一本著作特別有說服力。

古典名著的作者，通常留有不少著作。事先了解作者生平，對著作會有更深刻的了解，要是你有喜歡的作者，盡量多讀一些該作者的著作。

我前文有介紹四位作者，分別是塞內卡、尼采、叔本華、歌德，我建議可以先讀他們的作品，現在上網就查得到作者生平，先了解作者生平再來閱讀，會有更多樂趣，閱讀速度也會變快。

其實，尼采、叔本華、歌德也經常談到塞內卡的著作。不同的古典名著，也有異曲同工的地方，因為寫得出經典著作的人，多半是跟古典名著學習的。

三島由紀夫也說過，古典名著蘊含著不變的真理。

所以，先讀塞內卡再讀尼采、叔本華、歌德，你還是會看到塞內卡的影子。尼采、叔本華、歌德三人生在同一個時代，一本接著一本讀下去，你會發現他們彼此的聯繫。另外，你還會察覺他們對生死的看法不太一樣。

《三國志》也是很有趣的書，但前面一百頁不太好讀，倘若事先了解登場人物的關係，讀起來就非常有趣了。這跟閱讀古典名著是一樣的道理，了解關聯性就不會感到枯燥了。

32 了解作者生平，讓閱讀更立體

沒讀過西洋古典名著的人，我建議先讀《歌德對話錄》，這本書的作者艾克曼很尊敬歌德，青年時期極欲拜入歌德門下，還當了歌德的祕書。

《歌德對話錄》就是那段歲月的日記，當中講述了他跟歌德的對話，還有歌德跟哪些人見面、服裝打扮是什麼樣子、吃了哪些東西等。歌德的著作有一些難懂的部分，看艾克曼的日記都能找到答案。

而且這本書讀起來很有趣，你還能看到歌德充滿人味的一面，好比他忌妒的樣子，還有歌德用盡各種話術，讓艾克曼幫忙處理雜務的橋段，也是值得玩味的內容。艾克曼知道歌德的缺點，卻也接受了他的不完美。

歷史上的偉人，很少有如此詳細的紀錄，從這個角度來看，《歌德對話錄》具有無與倫比的價值。先讀《歌德對話錄》了解歌德的生平，再讀歌德作品會有更深的理解。

孔子和老子的相關著作，也是中國有名的古典名著，不過如果直接把《論語》等著作拿來閱讀，很難真的讀進心裡，你應該先了解孔子和老子的生平。

孔子是個重禮的人，服從古時君王的階級社會，這種與為政者相合的思想，讓他獲得了極高的評價；德國哲學家馬基維利（Machiavelli）的著作《君王論》（*The Prince*）也深得為政者的心。

老子則否定權威，提出了超越人性的「大道無為」、「上善若水」等概念。

事先了解這些知識，閱讀時就會保持主體性和批判性。

了解創作者的生平，也讓我後來更懂得享受藝術作品。藝術的領域中，創作者和作品是不能分開談的，日本藝術家岡本太郎也說過，藝術家和作品是一體的。

因此先了解作者的生平，閱讀或賞析其創作時，感想會完全不一樣。

我以前住在義大利佛羅倫斯，每天都會去中央市場買菜，回家自己煮來吃，有一次我在書上看到，義大利藝術巨匠達文西以前每天也會去買菜煮來吃。

我認為，這就是生活和藝術一體的境界。從那以後，達文西在我心目中，不再是一個遙不可及的偉人，而是一個平易近人、有血有肉的好朋友。

當然，他留下了許多偉大的作品，但一想到達文西其實也是一介凡人，我不由得肅然起敬，過去我只以為那是天才的作品，而天才是凡人難以望其項背的，可是原來達文西和我們一樣，是活在這世界的升斗小民。

了解作者的生平，你會覺得作者好像真的在跟你對話。

33 打破學校教育的知識藩籬

現代社會的學校教育，替知識劃下分界。我認為閱讀學術書和古典名著，有助打破那些分界。

我們的學校教育從高中開始分文理組，大學也有分不同的科系，然而博雅教育本來是沒有分界的，數學、天文、文學都是教育的一環。

由於社會追求效率，因此採用分工的制度劃清界線，整個社會也變得像分工作業的生產線一樣，英國默劇大師卓別林（Chaplin）的電影《摩登時代》（*Modern Times*）描繪的正是那樣的世界。

可是人類不該畫地自限，更不能只追求效率，我們有自己的家庭、愛情、工作，精神層面也很重要。人要活得完整而全面，內在必須有一套自己的世界觀。

不要接受社會替你劃下的界線，這不是一件好事。

消除界線最有效的辦法，就是主動去讀不受藩籬限制的書籍。當你跨越界線，界線就不復存在了。你內在的知識會互相融合，產生自主判斷和思考的能力，成為擁有高貴情操的人。

社會擅自劃下分界，你要重新找回知識原有的樣貌，讓自己活得更加完整而全面。把學識當成武器，找回最完整的自己，我認為這才是正確的觀念。

如此一來，吸收學識就是一種生活上的喜悅。你會期待接觸陌生的領域，踏入新的領域也不再感到害怕，你會發現讀書等於是幫你開拓新的世界。

閱讀有助開拓你的可能性，透過間接的體驗，逐步充實自己的世界。學習博雅教育的為學方式，就像在改變或升級你電腦的作業系統，讓你的作業系統擁有高超的性能，如同博雅教育可以培養你的思考體系。

升級了思考體系，你就有更多能運用的東西。思考體系不佳的話，你也無法邂逅優良的知識。思考體系和好的知識不對盤，這未免太荒謬了。

博雅教育有一切必要的知識，可以幫我們過上充實圓滿的人生，這是我實際接觸博雅教育最大的感觸。

雖然我曾在大學擔任教職人員，但如果我自己有小孩，我會讓他去美國的博雅教育學院受教。我希望孩子能自由學習，而不是只學一些粗淺的知識，最後淪落為考試機器，只為了應付眼前的需求而學習。孩子應該養成敬天愛人的品性，選擇自己的人生，按部就班達成自己的規畫。

從這個角度來看，我很慶幸自己過去在慶應義塾大學的湘南藤澤校區教書。我喜歡的是創造性的學問，而不是理解性的學問，我在湘南藤澤校區的政策和媒體研究科，也是教導創造性的學問。

我想教的是如何改變世界，而不是如何理解世界。為了掌握創造性，我不斷調查各式各樣的資訊，做學問只是我養成創造性的手段。

用這樣的方式做學問，我反而接觸到各種領域的知識。比方說，我想要做社會企業和募款事業，這就需要技術上的知識，以及打動人心的文案力，同時還要了解社會架構，連商業架構和資金調度的知識都不可或缺。

我們在推動新企畫時，需要多樣化的知識。不可能因為你讀文科，就完全用不到數學的知識。公司是用分工來解決這個問題，這也意味著你永遠離不開公司。

未來我們必須有獨立生存的能力，學習博雅教育絕對有利無害。捨棄分界，自由學習對你比較有幫助，而且還能豐富你的心靈。

34 八成的自我啟發書籍都是舊酒裝新瓶

常讀商業書的人中，有不少人喜歡讀自我啟發類的書。我沒有打算否定這件事，但我認為八成的自我啟發類書都不必閱讀，因為多數都在寫同樣的事。

反正中心思想不外乎美國思想家愛默生（Emerson）的《依靠自我》（*Self-Reliance*），或是個體心理學創始人阿德勒的論述。美國成功學大師拿破崙・希爾（Napoleon Hill）的《思考致富》（*Think and Grow Rich*）也可以說是出自阿德勒，照這樣看，直接看愛默生和阿德勒的原典就好。

後世推出的各種自我啟發類書，只是舊酒裝新瓶而已。

更進一步說，你讀尼采或叔本華就夠了，只不過他們寫的是哲學，所以阿德勒的著作還是好懂一點。

兒童教育是阿德勒的畢生志業，可以說是第一個談論自我啟發的創作者。最先談到個體心理學的也是阿德勒，他講得已經很完善了。

《被討厭的勇氣》一書暢銷後，許多人才開始注意到阿德勒，其實三十年前就有人發現阿德勒的論述，而且也掌握了精髓。

另一個不必閱讀自我啟發書的理由在於，文學作品也有類似的要素，跟文學作品相比，寫得好看的自我啟發書太少了。

一般在閱讀時，多半會受兩種層面吸引，一種是內容本身很有魅力，一種是呈現方式很有魅力，以三島由紀夫為例，他的書內容充實，文字功力也十分高超。

讀日本管理大師大前研一的書，就沒辦法享受文字的美感，你也不該要求他有優美的文字，因為讀大前研一的書，要的是嶄新的思維和打破框架的能力。

商業書重要的是內容，所以沒必要斟酌呈現方式，你該追求的是機能和效果，符合這兩點就沒問題了。

商業書不要看過就算了，要實踐才有意義。比方說，你吸收了很多同事不了解的資訊，你能運用的就更多，博雅教育也有這樣的效果。

吸收到的知識，不妨用在自己的工作上，如此一來，你的企畫和簡報能力將有很大的長進。很多人以為博雅教育無法拿來解決眼前的課題，實則不然。吸收廣泛的知識乍看之下是在繞遠路，但這才是最有用的方法。

人類社會經歷了農業時代、工業時代、資訊時代，在資訊時代到來前，會計師和律師這類的職業特別有用，但未來是創造性的時代，有各種全新的領域，好比創造性經濟、設計性經濟、體驗經濟等，這些全新領域有一個共通點，就是要求創造力。

未來講究的是創造和開拓，而不是照本宣科，現有的資訊上網查就有了。

但網路上查得到的資訊，已經不能當作決勝的武器了，計算能力和掌握資訊的能力也派不上用場，空有一身知識，沒有知性也毫無用處。

人類的知性比人工智慧強，光比資訊量和搜尋速度，人類贏不了人工智慧。

不過，人工智慧無法理解事件的脈絡，因此無法按照當下的狀況，推導出解決問題的答案，這方面人腦比較厲害。人腦會思考變數、衡量問題。

所以我們必須掌握知性，懂得運用知性後，才會昇華出真正的智慧。誠如前文所述，知識純粹是材料，知性則是食譜，實際下廚的經驗才是智慧。

這三者的差別在於，智慧的程度最高，知性次之，可惜多數人只顧吸收知識，蒐集了大量的材料就止步不前，如同生吃食材一樣。

未來的時代，要懂得創造附加價值，讓自己成為一個無可取代的人才。要有掌握智慧的能力，也就是有助生存的思考能力。

你要有電腦和其他人都辦不到的技能，好比生產的能力、設計的能力、架構的能力、創造的能力，實現想像的能力也很重要，創造力和想像力是關鍵。

博雅教育養成的思維，絕對派得上用場。

35 遇到好書值得細細品讀

閱讀和挖金礦是一樣的道理，同樣得在大量的砂石中，盡可能找出珍貴的黃金。有些書幾乎都是珍貴的黃金，好比美國社會哲學家艾力克．賀佛爾（Eric Hoffer）的作品就是如此。

我看了他的自傳《在海濱工作與思考》（*Working and Thinking on the Waterfront*），之後就買下他所有的作品了。他在七歲時和母親一起跌落階梯，不僅失去了視力，也失去了母親，幾年後，他的視力終於恢復，他很害怕再次失去視力，因此拚命讀書學習。

同時，他也當過碼頭工人和臨時工，他一個人獨居，靠勞力維生，最後在加州大學柏克萊分校教書，是一位看穿社會本質的知識分子。

他的社會評論和自我啟發類著作，都是在談論人類、社會、個體間的關係，翻譯的水準也相當不錯，深入剖析人心的能力，實在令人驚豔。他說，熱忱是年輕人逃避的途徑，真是一針見血。

當然，他不是在否定熱忱，只有對自己感到不滿的人，才會有某種熱忱。有了熱忱，才會努力超越自身的極限，這是年輕人的特權。

成年人會用冷靜的態度觀察事物，從宏觀的角度進行判斷，因此成年人缺乏創新，他的書就有這種真知灼見。

艾力克的生活方式也值得稱頌，他平日從事勞動，假日跟朋友一起喝啤酒，還會拿出小手冊寫下所思所感，他的人生一向安貧樂道。

我雖然推薦短時間速讀法，但當遇到這種好書時，就不能這樣做了，要改變閱讀的時間和精力分配方式。當你發現自己手上的書，跟一般書不一樣時，就要改用認真嚴肅的方式閱讀。

有幸邂逅好書，是人生中最快樂的事，就好像認識生命中的摯友一樣，這種書不是單純的好朋友，而是最重要的摯友，可以一直細細品嚐。遇到這種願意讓人閱讀一輩子的好書，真的非常開心。

只不過要找到適合自己的好書並不容易，這牽涉到作者生平、文字呈現方式、內容，還有你當下的狀況等，所以能遇到符合所有要件的書，是件令人雀躍的事。

我是從日本學者松岡正剛的文章得知這號人物的，松岡有寫過艾力克的書評，看後我很感興趣。

優秀的人會介紹其他優秀的人給你認識，因為他們身邊都是優秀的人物，同理，優秀的作家也會介紹優秀的書給你，優秀作家介紹的書，無疑也是優秀的作品。

你可以上網搜尋各式各樣的書，事先知道艾力克．賀佛爾，你就能搜尋相關的名著，前提是你要認識他才行。

網路上有無數的相關資訊，能找到什麼樣的資訊，取決於你使用的關鍵字，不知道關鍵字的話，你就找不到想要的資訊。

因此認識優秀的作者有極大的意義。好的作者會介紹其他好的作者給你，在我心目中松岡正剛就是其中之一，我一向愛讀岩波文庫的書，看過他介紹的岩波文庫後，我發現他真的是一個很有洞見的人。

他曾一天介紹一本新書，連續介紹了一千多天。天才是好習慣養成的，他就是靠每天辛勤耕耘登上天才的殿堂，如此博識的人至今仍在學習，令人肅然起敬。

一天寫一本書的書評，已經超出我知識的範疇了，除了他，我找不到比他更有實力的資訊傳播者。

優秀的作者會帶我們認識其他優秀的著作。

36 實體書店的魅力，網路無法取代

我建議到書店買書，理由有兩個，第一是保護書店的文化，我認為讀者有義務守護這樣的文化。

隨著網購興起，街上的書店也慢慢消失了，這也意味文化逐漸喪失。請花一點時間忍受不便，到書店去買書吧！不要一味追求效率和便利性，盡量去書店買書，也是在保護閱讀的文化。養成定期去書店買書的習慣，具有重大的意義。

當然，撇開文化層面不談，去書店買書也有一定的魅力。書對我們來說有一定的重要性，實際去接觸購買是有意義的。

下載電子書給小孩看，無法在上面留下自己的註記和感想，傳承實體書給小孩，其中的心意是完全無法比擬的，我自己就有很深刻的感觸。

另一個理由是，我認為去逛書店就跟旅遊一樣，都會有意外的發現，還有特別的邂逅在等著你。

去書店到處看看，吸收到的資訊跟網路上的完全不同。當你已經有想要買的書，上網訂購確實比較方便，但只有去逛書店，你才會碰到偶然的機緣，剛好發現一些打動你的書。

漫無目的逛書店也未嘗不可，光是在書店裡閒晃，就會找到想看的書，這種邂逅是你上網找不到的。

這就好比人生中，偶然邂逅的人，反而比經由介紹認識的人更難忘懷。

閱讀也有類似的際遇，漫無目的去逛書店，本身就是一種目的。在書店待久了，自然會找到適合的書。

這套方法對我一向受用，我至今還是有逛書店的習慣，每週會逛好幾次，有時候一天就逛好幾次，都是去同一家書店，在同一個書架上瀏覽群書。

最有趣的是，在同樣的環境中，每天也會有不一樣的發現。

生活周遭有較近的實體書店，是非常幸運的事。去書店不光是為了買書，到店裡享受新的發現，也能充實心靈。

我經常去東京六本木和代官山的蔦屋書店，那裡有賣不少學術類的書。蔦屋書店將書籍分門別類的方式極具創意，這也是蔦屋書店的一大魅力。

商業書、文學作品、自我啟發類的書，主要是幫我們養成一套思考系統。蔦屋書店對於不同類型的書，自有一套獨特的展示方式，等於間接打破我們思考的框架，當中也蘊含創新的氣息。

而且展示區每個月都會替換不一樣的書，有時候是三島由紀夫特展、美裔日本學者唐納・基恩眼中的日本，或是昭和史相關書籍等，同樣的書用不同的主題來展示，也別具魅力。你會找到出乎意料的好書，不由自主地被吸引。

我也會去腹地廣大的大型書店，大型書店的書籍類別差不多也是那樣，但收納的書籍經常在變，我習慣去那裡散步閒逛，也不是找想買的書，只是純粹眺望大量的書籍，這會帶給我一種幸福的感覺。

有時候書店會舉辦藝文活動，我會試著揣摩店員擺放書的考量。過程中可以學到很多東西，例如了解目前的特展內容，還有書本擺放的門道，以及書的賣點和挑書的關鍵字等。

有人問過我，要怎樣才能選到好書？挑選書的能力得在錯誤中學習，因此我們應該常逛書店。

37 多讀好書、多說好話，提升自己的水準

我希望大家閱讀的時候，好好品味文中的遣詞用字。語言是表達想法的手段，但語言本身也具有力量。

接觸到好的言論會帶給你活力，反之則會剝奪你的力量，所以要慎選自己會接觸到的言論，連平時說話和寫字都要小心謹慎。

也就是要提高敏銳度，語言對我們來說，代表了一個世界和環境，如果接觸的語言有問題，你的語言也好不到哪裡去；接觸的語言水準不高，也會拖累你的語言水準。

相對地，你接觸的語言水準夠高的話，就算你本身的水準不高，久而久之也會慢慢進步，因此在聽說讀寫的時候，要留意自己吸收和釋出的語言文字。語言文字會決定一個人的想法和人生，乃至未來。

語言文字對身心和感情的影響，遠遠超出你的想像。你應該刻意營造一個環境，讓自己多多接觸美好而真切的語言。

讀書就是最基本的手段，平常接觸的親朋好友，你無法控制他們的言論，要提升自己的語言水準，你只能多讀好書、多說好話。

人的思維是靠語言建構的，語言有非常大的影響力，因此發生政變時，反體制派的人一定要掌控媒體，從言論影響大眾。語言對人類認知現狀的能力，就是有這麼大的影響。

掌握話語權，就能改變群眾的認知，就算現狀有不合理的地方，也只能先接收這些言論，再來確認現狀。

你接觸到的言論，同樣會對你的認知造成重大影響。搞不好還會影響到你達成目標的可能性。好的言論會幫助你達成目標，壞的言論會摧毀你的可能性。

尤其在網路時代，所有叔本華最擔心的現象都成真了。別人的思想會不斷入侵到你的腦海裡，這就是網路資訊的本質。

有能力取捨的人自然是不用擔心，但照單全收的人就危險了。整天接觸一大堆粗淺的文字垃圾，你的知性不會提升。

資訊量和思考力不見得成正比，這點必須有清楚的認知。累積資訊量確實有提升思考力的作用，但吸收雜亂無章的資訊只是本末倒置。

了解這點後，你要懂得適可而止，適時停止吸收資訊也很重要。不要吸收網路上的垃圾資訊，不要讀不該讀的書。書要多讀沒錯，但要讀好書。

語言有其缺陷，但影響力又非常巨大。你在使用語言或接收語言的時候，要明白語言自有其不完整的地方。

當你在說話時，一定要放入你的感情和心意，讓對方感受到才行。

接收別人的語言時也一樣，不要只看字面上的訊息，要感受言語中的情感，以及言語無法徹底表達的意念。

跟陌生人初次見面，你該觀察的不只是言語，還有對方的內心。了解語言的效用和影響，同時明白語言的缺陷，不要太相信語言。

這才是我們對語言該有的態度。有了正確的態度，才不會被語言所惑，反而能為你所用，帶給你許多知識和啟發。

38 小孩的閱讀習慣，從父母做起

我曾在大學任教，有些父母會跑來找我商量教育的方法。我每次都告訴他們，父母以身作則就是最好的教養方式。

我仔細觀察過許多成功人士，他們都有閱讀的習慣，而且很多人嬰幼兒時期，就聽父母閱讀大量繪本了。

小孩看到不認識的字，父母要念給他們聽、讀給他們聽，這樣小孩才會喜歡上文字，一輩子與文字為伍。喜歡文字的小孩，才會積極閱讀各類書籍。

對文字的敏銳度夠高，念書就不會感到痛苦。不要強迫小孩念書，而是讓念書變成一種習慣，不讀書就會渾身不自在。

做到這一點的父母，他們本身也閱讀很多書，但沒有強迫小孩看書。他們懂得以身作則，自己拿起書本閱讀。大人以身作則，小孩才會讀書。

在這種家庭長大的小孩，會養成讀書的習慣，再重申一次，好習慣是通往成功的捷徑，完全不需要耗費多餘的心力或努力。

孩子有什麼樣的習慣，就代表父母也有什麼樣的習慣。父母的習慣會傳給自己的小孩，最重要的是，愛讀書的父母不會被孩子討厭。

因為書讀得多的父母，有豐富的知識和學養。孩子養成讀書習慣後，親子間對話才會有內涵，不會講一些無關緊要的話，連吃飯閒聊都很有素養。

讀書養成的品格學識，在各種場合都派得上用場。閱讀就是最棒的教育。

誠如前述，我沒有跟父親相處的記憶，但父親留下了大量的書籍，我知道他是一個喜歡讀書的人。父親在書中留下大量文字訊息，我也由此知道他的筆跡。

美術不是他的專業，但他有很多東洋美術和西洋美術的書，似乎很喜歡美術史。我沒有美術的才能，但有了那些書，我總覺得自己跟美術也有了一點聯繫。

我在三十歲前沒有享受過藝術的美好，但我始終認為自己跟藝術頗有緣分，也想好好了解藝術，我想這是受到父親的影響。

我沒看過他閱讀的樣子，但我知道他挑選的書，看過他在書中畫下的重點，以及寫了哪些感想。我從這些書中，看到了父親的身影。

這對我來說是一股很大的動力，即使書的內容我不記得了，但那股動力卻長存我心。我的生活一直少不了書，我買過全套文學作品，也看過非專業領域的書。我不會留戀過往，小時候的照片我也都丟掉了，然而我依舊能感受到父親的存在。

39 挑書當禮物，送的是全新的世界觀

我認為，大家都應該養成送書的習慣，我就有這樣的習慣，這就像在介紹你崇尚的偉人，或介紹你的良師益友。

書是一種性價比很高的禮物，當你發現一本好書，自己看完再送給別人，這一連串行為會產生無窮的效益，說不定還能拯救某個痛苦絕望的人。

提供建議給別人不是件容易的事，對方可能會覺得你太雞婆，可是送書就不會有這樣的困擾，而且還有可能改變對方的人生。

現今好像很少人送書當禮物，這就好比我們長大後，很少收到親筆信一樣，因此送書當禮物是有價值的。

如同你從大批偉人中，挑選一位你最景仰的偉人，介紹給合適的對象。對方每次閱

讀那本書，肯定會想起你，下次你們碰面，也可以聊那本書的內容。你送的不只是一本書，而是一個全新的世界觀。

花一點小錢就能辦到這一點，你花的只是幾百塊小錢，但收到書的人，或許能從書中發現無價的寶藏，從此改變自己的人生。書就是有這樣的魔力。

以前我辦過學術研討會，成員有四十個人，我請大家拿出家裡最喜歡的書互相贈送，書中有寫下個人感言也沒關係。

研討會結束後，每個成員都會拿到別人送的書。這種換書的制度大家都十分讚賞，而且開心得不得了，尤其收到寫下個人感言或畫下重點的書，閱讀起來更有趣。

自己確實閱讀後，可以把畫下重點的書送給別人。在書中畫下重點，這對其他閱讀者也有很大的幫助。

有時候，我跟人碰面，他們會問我看了哪些書，我會直接把看過的書送出去，大家最喜歡有畫下重點和寫下感言的書。一來我是作家，能拿到作家的親筆書並不容易，二來是因為這本身是一種很新鮮的體驗。

有一本書我送過好幾次，書名叫《我的一生．貓咪達西的故事》。這是二十年前在美國出版的著作，故事的主角是一隻貓咪。

作者痛失養了十幾年的愛貓後，決定自己揣摩貓咪的想法，寫一本故事來闡述貓咪的一生。

故事一開始，貓咪在寵物店的玻璃箱中，看到了未來的飼主。飼主抱起其他貓咪，最後看到了那隻小貓，小貓也回望飼主，小貓用喵喵叫的聲音，叫飼主帶牠回家。過了一週，飼主真的來接小貓回家了，幸福的生活就此展開。

故事差不多是這樣進行的，前言更是一絕，前言是貓咪擔心自己死後飼主太難過，因此留下了一點訊息給飼主，這一段帶給我很大的感觸。

我經常帶著這本書，送給跟貓咪結下不解之緣的朋友，他們都非常喜歡那本書，還說那本書帶給他們療癒和元氣。

當你送出很適合對方的禮物，就會有這種美好的體驗。因此請盡量挑選一些好書送給你的親朋好友，挑的時候稍微花點心思。送給對方合適的好書，那本書會成為對方無可取代的人生指標。

養成送書的習慣，人際關係會有根本上的改善，你的人際關係會充滿溫情。很多人不習慣送書，主要是顧慮太多，不是缺乏善意的關係，這也是沒有送書習慣的主因。

順帶一提，韓國的書會在第一頁印上「親愛的」，讀者可以把書當成禮物送出去，也可以送給自己。

讀過同一本書的兩個人，會認定彼此是好夥伴。這就好像兩個人共同體驗世界，一起到同樣的異國街道旅行一樣。有同樣的旅遊經驗，聊起來會特別熱絡。

所以贈書形同贈送旅遊券，又好比你去了一間很棒的美術館，贈送門票給還沒去過的好友一樣。

現在會送書的人很少，從這個角度來看，或許也是推廣送書文化的好機會。請試著拋磚引玉，跟朋友養成互相贈送好書的習慣，是一件很美好的事。

40 放一本詩集在包包，常保感性思維

等人對我來說不是一件痛苦的事，因為我會把等待的時間用來閱讀，萬一朋友姍姍來遲，我也不會生氣，有多出來的閱讀時間我反而很開心。

對方遲到越久，我讀得越多。我會盡情畫下重點，寫下自己的感言。

反正一有時間我就拿來讀書，讀完就寫下感言，充分利用每一段時間，完全沒有一絲浪費。

若有閒暇之餘，不管是去上廁所或去其他地方，我都會讀書。讀書是我生命中最大的喜悅，也是我最大的助力。

所以我出門一定會帶書在身上，一次還帶好幾本，當中不乏比較輕鬆的讀物。比方說，有的商業書會分門別類，我會帶分得比較細的商業書。

這樣能用更短的時間讀完一本書。相對地，有些書的文章脈絡緊密相連，要花上一定程度的時間才好吸收。在「第二次」閱讀的時候中斷，之後還要花很大的心力補回來。因此有多少時間專心讀書、四周有沒有影響我專注的雜訊，這些因素也是我挑選書籍時會考量的重點。先考量這些因素，再來決定要讀輕鬆一點的，還是深入一點的類型。通常這兩種我都會帶著。

我也常建議女性朋友，包包裡最好放一本詩集。很多女性都有極高的上進心，這本身是值得讚賞的事。但只追求外觀上的進步，其實算不上真正的上進。

最重要的是充實自己的內在，鍛鍊自己的精神層面。我個人認為，女性在談戀愛和結婚的關口上，最講究兩種能力。談戀愛講究女性魅力，結婚則講究人品魅力。

提升自己的女性魅力固然有效，也確實有吸引男性的作用，問題是，許多男性在挑選結婚對象時，考量的多是人品魅力。

包包裡放化妝品，對女性來說固然重要，但男性要是看到女性包包裡有一本里爾克的詩集，想必會有不一樣的效果。不習慣閱讀詩集的人，買來擺好看也沒關係，先踏出第一步就好。

看一個人隨身攜帶的物品，就可以看出其為人。留意自己的隨身物品，或許是有幫助的。總之，我建議女性朋友在包包裡放詩集，有機會最好拿出來看一下。

詩集讀起來很輕鬆，不會造成負擔，文章本身也不長，都是短短的散文。隨時都能拿出來閱讀。

而且，詩集也不會寫一些很教條的內容，讀起來特別有韻味。關鍵在於，讀完後有什麼感想？這也是在提醒你，要常保感性的思維。

最大的重點是，光是在包包裡放入詩集，你的心情就會有很大的轉變。這就好比噴上喜歡的香水，有振奮人心的作用。

所以請隨身帶一本詩集。買名牌包是很棒沒錯，但包包裡的東西也請斟酌一下，這是非常好的習慣。

男性也是一樣的道理，男性我建議帶一本三島由紀夫的《葉隱入門》在身上，要帶詩集也沒關係。

第5章

深入閱讀：第三次四十分鐘，寫下自己的體悟

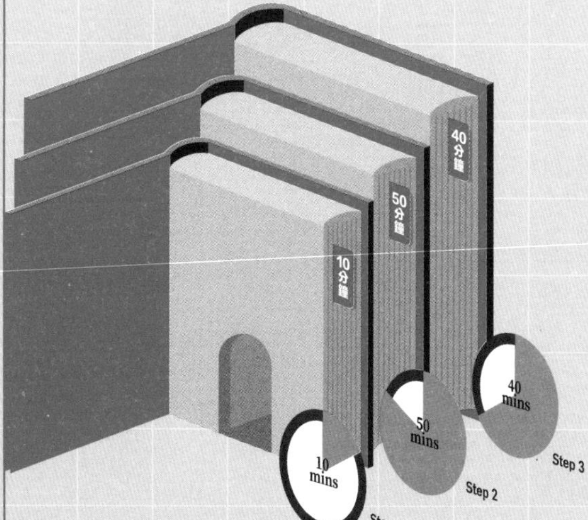

41 在書上抒發己見，是最棒的吸收與學習

間歇高效率的三次閱讀法，「第一次」花十分鐘進行掃描式閱讀，「第二次」花五十分鐘進行正式閱讀，「第三次」花四十分鐘進行深入閱讀。

先用掃描式閱讀掌握架構，接下來正式理解整本書的全貌，第三次閱讀時再深入體會重點。一本書讀了三次，你會銘記全書的架構，看懂第一次閱讀時無法理解的部分。

如同跟一個人見面三次，你對那個人會更加熟悉；同一家店去三次，你就會成為熟門熟路的常客；同一個地方去三次，你就能掌握附近的地理環境，只去一次絕對不可能有這樣領會。

不管是人物、店家、地點、電影，接觸三次後比較容易領略內涵，同理，一本書閱讀三次，掌握全書的架構後，談論內容才會言之有物。

因此「第三次」閱讀請換別種顏色的螢光筆。前文也提過，「第二次」閱讀要用黃色螢光筆畫下重點，「第三次」要先閱讀那些重點，特別重要的部分，再改用紅色或粉紅色的螢光筆畫下來。

「第三次」深入閱讀總共要花四十分鐘，用來畫重點和集中閱讀。「第三次」閱讀同樣要留意時間分配，這跟跑馬拉松是一樣的道理。

最初的十分鐘用來畫重點，剩下三十分鐘集中閱讀紅色的重點部分，與其說是閱讀，更像是抄書，要用其他顏色的筆，把認為重要的內容寫下來。

先試著抄寫下來，就跟我們念書寫筆記一樣，重要的內容請直接寫在書上，當作在抄書就好，內容照抄也沒關係，抄在內頁的空白處。

然後在你覺得特別重要的頁面，寫下你的所思所感，有點類似跟作者共同創作一本書，你不是單方面吸收知識，而是跟作者一起深思。你可以試著掌握這樣的讀書方式。

要寫什麼都無所謂，可以寫下摘要，用不同字句闡述作者的觀念，或表達自己對文章的意見或疑問。

讀書一定要抒發己見，不用特地另外寫一本讀書筆記，直接寫在書上就行了。

抒發己見才是最棒的吸收和學習。先好好了解書的內容，再把重點寫下來，這樣一本書的精華才會深入心中。

不了解書本內容的人無法抒發己見，了解後還要把觀念傳達出來，這才算是百分之百深刻了解。要能教導別人，自己的學習歷程才會完整。

「第三次閱讀」的重點，就是盡情弄髒手中的書。不少人都討厭弄髒書，但我認為讀到整本書髒兮兮，才是對作者最大的敬意。每個作者都希望讀者吸收他們的思想，透過書本跟他們對話。因此你要在書中寫下自己的體悟，不要害怕弄髒書本。

這些體悟會變成你留給家人的寶藏，就好像我父親在書中留下的字句一樣。那些體悟是我努力活過的證明，代表我成長的軌跡，也是在寫信給未來的自己。

我會在重要的書裡寫下自己的名字和電話，艾力克・賀佛爾的書我就會這麼做，萬一不小心弄丟了，別人才能聯絡我領回。

「第三次閱讀」結束後，你一看到書就會想起概略架構，還有先後兩次在書中畫下的重要內容，以及自己寫下的摘要和感悟。

做到這一步，「間歇高效率的三次閱讀法」才算大功告成。改天你再重新翻閱那本書時，你會感覺自己已經內化書中的內容，被動吸收知識不會有這樣的感覺。

真正的好書不妨讀「第四次」、「第五次」，讀越多次理解會越深入。往後重新閱讀時，過去畫下的重點和寫下的體悟，會帶給你很大的啟發。

42 只讀不寫絕對會忘記

辛苦讀完一本書，結果讀後幾乎都忘光了，有這種煩惱的人不在少數。人本來就是健忘的動物，只讀不寫絕對會忘記。再重申一次，不要太相信自己的記憶力。

因此要用不一樣的方式閱讀。一百分鐘閱讀三次，了解整本書的架構，都是在幫助我們記憶，但最重要的，還是動筆寫下重點和感悟。

凡是不願意遺忘的內容，我一定會動筆寫下來，因為寫下來的過程，其實就是大腦在對身體下命令。

大腦命令手臂寫下文字前，得先吸收文字內容，實際動手寫下內容，可以提高大腦吸收的效益，不要只是記在腦海裡，讓大腦下達指令是有意義的。實際行動而不光靠大腦死記，這也是在深化記憶。

實際動筆花不了多少時間，但會持續刺激你的記憶力，大腦中的神經元聯繫會更緊密，更不容易忘記知識。

實際動筆寫下個人感悟，事後還能重新再看一遍，撇開這點不談，實際動筆也有助提升記憶力，不用特地寫在其他筆記上，直接寫在書上就能達到效果。

當我體會動筆的好處後，就不再相信自己的記憶力了。例如我事情做到一半，突然想到一個好點子，或是一件非做不可的事，這時我只要稍微分心，就會馬上忘記自己剛才想到的事。

要想起遺忘的記憶很花時間，每次我都覺得記憶力在背叛我，不過把想到的事寫下來就不會忘記了。寫一個單字、記號、文句提醒自己，就不會健忘了。

省下這道工夫很容易忘東忘西，一旦遺忘就很難想起來，靈光乍現的時候不寫下來，你的想法就會不翼而飛。

我吃了很多虧才懂得善用筆記，一有想法就如實寫下，事後才想得起來。有些想法只會在腦海中浮現一次，不馬上寫下來，就會永遠喪失寶貴的靈感。

人們靈光乍現的次數非常有限，所以隨時都要做好抄筆記的準備，否則可能會錯過人生中最重要的靈感，連帶失去改變人生的機會。

從這個角度思考，我認為真的不能太相信記憶力。也許你認為自己記憶力比其他人好，但我奉勸你最好不要太有自信。

我是在韓國學日文的時候，才養成抄筆記的習慣。寫下自己學到的知識才不會忘記，這也是我當時領悟的道理。

因此我閱讀時，一定會拿著筆，而不是傻傻地一直讀。先拿著筆準備做筆記，再來專心閱讀。「第三次」閱讀畫完紅線後，我會盡量寫下自己的感悟。

曾經有段時間，我要求自己每天用掉一枝原子筆，當然現在沒有這樣做了，總之我會拚命寫下內容，讓大腦下令書寫，深化記憶。

有些讀者可能覺得我的做法太誇張，其實每天用掉一枝原子筆並不困難，用乾墨水也是一種樂趣，我會用這種樂趣作為讀書動力，專心閱讀。

閱讀過程中積極寫下你的感悟，努力用乾筆內的墨水，這種讀書方式十分有效。

43 從客觀的角度，看待自己的筆記

我旅行時不會看旅遊手冊，旅遊手冊記載的是前人的感想，我不希望自己有先入為主的觀念。旅遊景點到底好不好玩，我想靠自己體驗。

誠如前述，我在旅遊時會自己畫地圖，不畫地圖我記不住地理位置。外出旅遊我同樣不敢仰賴自己的記憶力，我會當作自己什麼也記不得。

自己動手畫地圖和寫筆記，除了有提升記憶力的效果，還有另外一個優點，那就是可以從客觀的角度，看待自己寫下的東西。

人在閱讀時，難免會受主觀影響，那是因為只用腦袋去理解作者的文字，用手寫的方式確認一遍，才會有客觀的看法。

大家常說，有煩惱或不安的時候，不妨找人商量或寫成文字，這麼做可以把不具體的感受視覺化、聽覺化，並從客觀的角度來反思。

當你客觀看待自己的煩惱，比較容易恢復平常心。

「客觀」對人類來說是一項很重要的能力，要跟自我保持一段距離，才有辦法發揮正常的判斷力，因此實際動筆寫下文字，用自己的眼睛去看，才能用客觀的方式，畫出屬於自己的地圖。

嚴格來講，這是比較老派的做法，但你會有很實際的感受。

我不是只有閱讀才會這樣做，我也經常在明信片上做筆記。商店有賣一整疊空白明信片，我會買來隨身攜帶，只要有新的想法或發現，就習慣寫下來，讀書時要是看到深刻或美麗的文字，也同樣會寫下來。

寫在筆記本上也可以，但用比較大的字體，寫在較厚的紙上，這對我來說很有魅力，而且我一張明信片不會寫很多東西，頂多只寫一、兩句話，例如「現象很複雜，本質很單純」。

我動不動就拿出明信片書寫，感覺像在寫書的標題一樣，有時候一天會寫幾十張，寫完一百張我會排在桌上看，那些明信片會帶給我靈感。

我之所以用明信片而不用筆記本，主要是希望自己的語言和文章，擺脫空間上的限制，如同很多人會把英文單字寫在單字卡上，據說這樣比較容易背下來。因為寫在單字卡上，較大的字體彷彿擺脫空間限制，直接灌入你的腦海，有提升專注力的作用。

我也曾經一天用掉一百張明信片，一個月就寫掉三千張明信片，我會把那些明信片一字排開、分門別類，理出一個連貫的文章脈絡。把相關的明信片疊在一起，就能做到這件事，這也是寫在卡片上的魅力。

不過卡片我用完就丟了，不會刻意留下來。因為寫過就有印象了，千萬不要小看人類潛意識的力量，有印象的東西代表有刻劃在腦海裡了。

你也可以在讀完書後，寫下讀書筆記。事實上，不管是看書還是做任何事，當你在各種場合受到啟發，都應該用文字記錄下來，這種行為本身非常有價值。

在卡片上寫下自己想到的字句，實在是很快樂的一件事。

44 吸收知識卻不思考，也是徒勞

前文提到思考能力，我認為書寫是完善思考力的關鍵。書寫是最困難的一環，一點也不能馬虎，出版書籍不能沒有編輯、校對，也是出於這個原因。

因此出版成冊的文章完成度相當高。

隨興寫下的文字有一種生動感，相對地，書本中的文字，是作者和編輯共同創作的心血結晶，尤其好書更是如此。

有些書是作者賭上自己的人生寫下的，你可以吸收當中的金玉良言。

反過來說，要寫出有內涵的文章感動讀者，需要貨真價實的思考力，以及呈現個人想法的表達力。這就是書寫困難的原因。

偉人傾注心血寫出來的著作，我們唾手可得，這實在是很奢侈的一件事，而且對我們的人生也有益處。當你明白這個道理，你對書的態度會不一樣，讀書也會抱持著嚴肅的心態。

開口講話誰都辦得到，但書寫沒那麼容易，書寫講究的是連貫性的邏輯思維。對話可以不顧邏輯，文章卻不行，寫文章要有明確的文理脈絡，更不能偏離主題和邏輯。

書寫等於在開示自己的思考力，毫無取巧的餘地，面對如此困難的挑戰，化育出書本這項成果，值得我們表示敬意。

同樣地，你也該發現自己動筆的價值所在。寫筆記也是一樣的道理，在我心目中，寫筆記就是把各種一閃即逝的想法，刻劃在自己心中。

人的記憶和靈感稍縱即逝，寫下來才能刻劃在腦海裡，成為自己的東西。

把自己的想法和讀過的內容化為文字，你才會有處理知識的能力。所以讀過的東西要化為文字，不要只是單純吸收知識，還要抒發己見才行。

只顧著吸收一大堆知識，你很難成為一個言之有物的人。閱讀時請記得抒發己見，將所思所感寫下來。

反正筆很便宜，你隨時都能寫在書本上，看書不寫筆記，就跟發呆看電視沒兩樣。看電視和看書最大的不同，在於看電視不必太專注，可以單純吸收資訊。書就不一樣了，書是作者認真寫給讀者看的著作，內容深刻又有涵養。因此閱讀應該抱持著嚴肅的心態。

要把書中的文字當成作者寫給你的訊息，明確寫下你感受到的訊息，將你的思考轉化為語言，完善你的思考能力。

寫不出想法，代表你還沒有一套自己的思維，要寫得出來，思維才算完整。**書寫就是將你的思維明確化、結晶化。**

有高度書寫能力的人，也具備高度的思考能力。擅長說話但不擅長書寫的人，思考力沒有這麼敏銳，也不夠細緻。

光看一個人說話，你看不出他的思考能力。當然，有眼光的人還是看得出來，但程度高低，寫成文字一看就知道了。

所以要練習寫下文字，寫下你的感悟，這也是在訓練你的思考力。

45 書中的空白是你的思考空間

書本都有空白的地方，我認為空白部分是全新的思考空間。空白在等待你，等待你寫下自己的感悟。

許多人對書本的空白完全沒有想法，以為那是設計上的留白，或是充頁數用的，大家在讀書的時候，都沒把書中的空白當一回事。

我認為那些空白處都在等你下筆。作者寫了滿滿一本的訊息給你，空白處就是讓你回信的信紙，從這個角度思考，在空白處寫下感想，是我們該做的事。

我會在卡片上寫筆記，但不是在讀書的時候寫，而是平時想到什麼就寫什麼。讀書時，我會寫在書本的空白處，盡情揮灑筆墨，難得書中有空白，不寫滿太可惜了。

老實說，要在空無一物的白紙上寫東西，不是件容易的事，在什麼都沒有的情況下寫東西是有難度的。

但書中有很多刺激我們思考的關鍵，文章帶給你的啟發，直接寫在空白處就好。書是你閱讀時最棒的記事本，會增進你寫筆記的能力，對你自己也有幫助。

書是最棒的記事本，書上的文字會帶給你新的啟發，讓你有更優異的表達能力，刺激你寫下自己的感悟。一旦看到啟發性的文字，你又能寫下更多新的感悟，你可以享受這種筆記式的閱讀。

請思考一下空白的意義，比方說日本明治時期藝術家岡倉天心的《茶之書》，就有提到茶道和茶室很注重靜默和留白，留白的空間會刺激一個人的想像力，沒有過多雜亂的元素，才會啟發創造性的思維。由此可見，書本和茶室有異曲同工之處。

我們進到茶室裡，心中會浮現各種感覺、感性和想法，而自己的想像力又能填補不足的地方。茶室有這樣的作用。

沒有留白就無法刺激想像力。所以閱讀時，一開始就要善用留白，把心中的各種想法和感覺轉化成文字。

寫下的筆記不必多，一到兩行就夠了。你可以抄下書中的字句，寫出你對文章的印象和感想，或是你對作者的疑問等，個人得到的啟發，還有你推導出的結論，寫一、兩行就夠了。

不要把所有的想法都寫出來，要歸納在一到兩行的文字中。這就好像在表達事情一樣，當你知道自己想表達什麼，給你三十秒就能表達完了；相反地，當你不知道自己想表達什麼，給你一小時也表達不出來。

在書上寫筆記時，要先斟酌文章的本質，寫下去蕪存菁的內容。這也是我個人很喜歡做的事，我討厭寫一堆又臭又長的東西，只想寫出去蕪存菁、精挑細選的內容。

在你習慣這樣做之前，請在空白處寫下一些好的文句，或是特別感興趣的文句就好。用這種心情寫筆記，難度就不會太高了。

接下來再更進一步，試著用你自己的說法來詮釋作者的思維。用你自己的語言和情境，來說明作者想要表達的概念，做到這一點，你對整本書會有更深刻的印象。

然後試著用和作者對話的方式，寫下你自己的看法，例如對作者提出質疑、發表你的意見等。

除了跟作者對話，作者的訊息也會刺激你的心靈，讓你想要留下一些感悟。書寫筆記確實能激發這種創造性的思維。

46 掌握語言的力量，建構新思維

許多人都沒發現閱讀的另一個好處，那就是可以幫助你建構新的思維。我會用策略性的閱讀方式，從作者的文字中獲取新思維。

語言有強大的力量，用語言建構思維是很了不起的事。《聖經》用語言描繪萬物和世界觀，也意味著語言的偉大。

語言相當於一個完整的世界，書本充滿了語言，閱讀則是面對語言的方法。閱讀有助我們建構思維，所以閱讀對人生有特殊的意義。拿破崙．希爾提倡的「思考致富」，指的就是語言轉化為思想，而後思想被付諸實踐。

那麼該如何鍛鍊自己的思考力？你只能透過語言來鍛鍊，向語言造詣頂尖的人學習，書可以幫我們做到這一點。

閱讀建構思想，思想才會化為現實，換言之，**閱讀就是在開創未來，靠自己的本事打造未來。**

人類最感興趣的事，就是開創自己的人生和未來。人們都在煩惱如何開創人生，其實閱讀是最快速有效的方法。

聽別人的經驗談也不錯，但經過書寫的表達方式，才是最有效的語言。吸收有高度思考力的人編纂的文字，可以鍛鍊你的精神力。

人類的思維是由語言所建構，這才是我們不該輕視閱讀的真正原因。我們是透過語言文字思考的，了解語言的意義和價值，你的閱讀才會有更高的境界。

當你明白思考是開創人生的關鍵，就會了解經典的價值，並且趨之若鶩。

少數的愛書人和成功人士，已經注意到這一點，他們明白語言的力量有多強大，也知道語言是開創新思維的關鍵。閱讀充滿力量的文字，能夠得到生存的能量，許多領導者也希望掌握語言的力量。

成功人士對語言有極高的敏銳度，對語言敏銳度高的人，也有精確的思考力。

語言象徵一個世界，也是作者的心血結晶。開始閱讀前，你應該先了解語言在你生命中的價值，如此一來，你的閱讀態度會完全不一樣。

我從外國來到人生地不熟的日本，語言是我唯一的指標，是我生命中唯一的武器，也是唯一的生存手段。我本能地了解，我必須用語言精進自我，才有未來可言。

要掌握語言不必花太多成本，只要你有意願，就能接觸大量文字。語言是開創未來和拯救人生的最佳武器，努力就能得到這項武器。

事實上，我讀過許多優秀的著作，也掌握了操作語言的能力，我確實感受到自己的人生往好的方向發展。學習日文的經驗，讓我明白語言和未來的因果關係，因此我對語言的敏銳度也特別高。

不少人不懂母語的美感，還有本國精神的美妙之處，反而是外國人深有體會，大家應該多多重視語言。

47 書是通往新世界的大門

前文也提過，去書店可以意外邂逅一些好書，這才是我去書店的理由。閱讀自己熟悉的知識領域，持續鑽研下去固然重要，但了解未知的領域也很重要。

書是通往新世界的入口，語言會引導我們，教導我們在新世界航行的方法，猶如地圖和指南針，因此定期購買自己不常閱讀的書種，深具意義。

比方說，每週三去買自己沒碰過的書，接觸全新的文字，讓自己走向一個未知的新世界。

買書要有明確的目的，體驗新世界是一種更高層次的目的。也許你吸收到的知識無法立刻派上用場，但買書豐富自己的人生，也算是博雅教育的一環。

我認為書有兩種作用，一種是開拓你的世界，另一種是用不一樣的觀點，來看待你

已經熟悉的世界，也就是開拓和深化，其實我們很少有機會認識新的文字。

人類在結黨成派後，會使用自己群體特有的行話，並有獨特的語言應用方式。在不同的社會、行業和公司，你都能看到類似的現象。

當你接觸一個全新的領域，或參加一個新的群體，事先了解他們使用的語言，你會更容易融入。

當你挑戰沒有接觸過的領域，一定會碰到自己不熟悉的語言，還有不習慣的語言使用方式，一開始難免會覺得不適應。

不過如果事先有心理準備，你的理解力會在無形中慢慢進步。

所以你要先告訴自己，面對一個全新領域的陌生語言，本來就會有不習慣的地方。有了這樣的認知，你就不會感到不愉快了，吸收新知反而會讓你很愉悅，就好像在考取全新的證照一樣。

你不見得會找到正確答案，人生就是如此，涉足全新領域也同樣如此。很多人以為凡事有正確答案，實則不然。

我個人認為，假設你想要打開一扇門，等你打開後，你會發現門內還有數十扇全新的門。

在選擇打開一扇門的時候，總會思考自己開的門到底正不正確，事實上，不要管那麼多直接打開就對了，你會看到裡面還有無數的門。

我之所以成為學者，移居海外持續做學問，並不是因為我對未來有明確的願景，純粹是我想這樣做，實際做了以後，我發現很多自己不知道的可能性。

我想先了解各種可能性，再做選擇。讀書也是一樣，閱讀當然要有明確的目的，但有時候也該勇於嘗試，嘗試會帶給你無限的可能性。

從這個角度來看，你手上拿的一本書，不僅僅只是一本書。每本書都是通往其他書的入口，也是入口的領航員。跟別人相處也是如此，當你直覺認定對方值得交往，不妨試著去接觸，你會發現意想不到的可能性，或許對你的未來也有幫助。

語言代表的是一個世界，能否運用語言來揣摩世界，是一項至關重要的能力。讀書時，不要把文字看作單純的文字，而是要當成一個世界來看待，就好像茶葉被熱水沖開後，茶葉的精華會逐漸擴散開來一樣。

懂得用閱讀鍛鍊自己的人，到頭來，看到一段文章就會聯想到更多的文章。只有觸類旁通的人才做得到這一點。

48 讀完的書不要拿去賣

認識新的語言就會啟發新的思維，閱讀時在書本上盡情書寫，才能徹底享受到閱讀的魅力。

「第一次」掃描式閱讀，你可以先畫下一些重點，或做個標記之類的，盡量弄髒書本也沒關係。

「第二次」正式閱讀時，拿著黃色螢光筆，確認書中的重要內容。只要有心畫下重點，自然就會看到重點。用螢光筆弄髒書本也是有意義的。

「第三次」閱讀黃色螢光筆的部分，用紅色螢光筆畫下更重要的地方，這是在確認你覺得重要的部分。

畫完螢光筆後，再拿其他筆寫下你的感悟。你可以用自己的語言詮釋作者的內容，或寫下一些特別感興趣的格言。

當然，你也可以寫下有別於作者的看法，或是你對作者的質疑和建議。最好用你喜歡的筆來寫，我會用高級的鋼筆或好寫的原子筆。用這種方式跟作者對話，一起創造共同的著作。

如此一來，你會得到一本絕無僅有的著作，書上有你獨到的見解，這就是「共同創作」真正的意義。吸收了作者的觀念後，寫下自己全新的思維，重要的部分同樣用螢光筆標示起來。

以後拿出來閱讀，一下子能就掌握書的重點。因為你有實際動筆，重新翻閱時，會想起以前閱讀的記憶。

前文提過，多數人不願意弄髒書本，其實作者寫書是希望幫助讀者，活用書中的知識才是對作者最大的尊重，只要能加深自己的理解力，啟發自己的觀念，你要弄多髒都沒關係。

但是圖書館的書不能這樣做，我的「間歇高效率的三次閱讀法」沒辦法用在圖書館的書上。圖書館的書不可以弄髒，電子書也同樣不行，電子書無法寫筆記。

買二手書回來讀也沒關係，我個人是不太常這樣做，反正能寫下自己的文字就好。

讀完後，我不建議拿去二手書店或上網賣。弄髒的書不適合拿來賣，如果閱讀前就打算把書拿來賣，你一定不敢弄髒書本。

我知道有的讀者會想，這樣家裡會積滿一大堆書不是嗎？不希望家裡堆太多書的人，不妨拿去送人。你可以把心目中的好書，送給你覺得合適的對象。

不拿去賣確實無法回收成本，但當成禮物送出去，你有可能得到更有價值的東西。對方也許會覺得你的感悟很有趣，對你做出什麼回饋也不一定。

總而言之，請不要怕弄髒書本，持續寫下自己的感悟。

49 分享，讓知識徹底內化

讀完書再去教導其他人，這才是完整的閱讀學習方法。正所謂教學相長，你不用真的去教別人，但在學習新知的時候，要有成為老師的氣魄，這麼做有很大的意義。

你要先學會一件事，才有本事去教別人。自己沒有深厚的學養，肚子裡不可能有墨水去教別人。努力向學是學習的第一階段，把學到的知識簡化成別人容易理解的內容，這是學習的第二階段。

因為你是用自己的詮釋法去教別人，那些知識會徹底內化，你會感受到自己確實掌握了這一門知識。

所以學習後要去教導別人，跟別人分享你的學習心得也可以，這很有效。主動式學習的道理也是一樣，在學習過程中加入教學的環節，有深化記憶的作用。

不要只是學完就算了，把你的感悟告訴其他人，有助於提升記憶力。教導他人也是在深化自己的所學，而且非常有效。

分享你的知識，對方也能學到新的東西，對彼此都有好處。

我曾在大學任教，自己教過的東西真的不會忘記，而且還能鍛鍊出看透事物本質的歸納能力，因為老師必須在五到十分鐘內，告訴學生學習的重點何在。對方的反應也能帶給你意想不到的收穫。

本來學習和教學就不是老師或作家的專利，不過現今普遍缺乏共享知識的風氣，許多人懂得溝通交流，卻不太會分享自己所學。

有些人生性謙虛，不會炫耀自己的知識，但並不是吝於付出，只是不太會主動分享知識。

然而，重點在於分享知識，會對你的親朋好友產生什麼影響？如果這對他們有益，我建議你應該盡量分享知識。

我相信沒有人會討厭學到新知，學與不學是對方的自由，但你應該養成分享知識的好習慣，形成一種優良的文化，久而久之，你身旁就會有一群共享知識的朋友。

你可以先以身作則，比方說你辛苦學了許多知識，就可以分享一些真知灼見，這對你的親朋好友也有極大的益處。現在拍照非常方便，不妨直接拍下書本頁面寄給對方。讀完「第三次」後，就抱著分享遊記的心情，把自己的所學、經驗和觀察分享給其他人。你要付出行動，把你的所學分享出去，思考力才會精進。

跟朋友見面時，先說出自己看了什麼好書，問對方有沒有興趣知道，相信對方也不會拒絕。我有一些朋友也會這樣做，當他們推薦我好書，我真的十分感激。

很少人會主動分享自己的所學，這是一件很了不起的事，體驗過就知道。

在網路上分享也是一個方法，好比分享一句你很喜歡的格言，最好把你對那句格言的想法也寫出來，你也可以參加讀書會抒發己見。

以前我召開座談會，還會請一百位參加者挑選自己最喜歡的作品，拍下當中的金玉良言，並且上傳到部落格。一百多句金玉良言，讀起來非常有魅力，生活中有這樣的團體，是很棒的一件事。

吸收知識的時候，要有抒發己見的打算，這樣你吸收知識的精確度才會高。

舉一個簡單的例子，我每次舉辦講座，會在結束後問聽眾有沒有疑問，大部分的聽眾都提不出問題。

後來，我在講座開始前，要求每位聽眾提出三個疑問，最後每個人都會舉手提問。

我在大學任教時也一樣，一開始學生只會被動聽講，根本提不出任何疑問或看法，於是我告訴他們，被動聽講一點用處也沒有，上完課一定要提出三個疑問和感想，結果他們上完課也都能發表自己的看法。

要先有抒發己見的心理準備，吸收知識的態度才會有所轉變。否則吸收完知識也很難言之有物。因此讀書前的心理建設十分重要，在開始閱讀前，就已經決定成敗了。

50 抱著三個疑問閱讀每本書

我在慶應義塾大學上專題課時，發現了一個問題。起初我設立專題課的部落格，請學生輪流寫下書評，書單我會開出來，他們從中選一本書來寫就好。

看學生寫的書評，就能知道他們讀書的能力如何。很多學生都不習慣讀書，這是一件非常可惜的事。

再者，學生看了書、寫了書評，也很難把知識內化，這也是非常可惜的事。

再重申一次，**人的表現優劣取決於習慣，而不是才能**。每天保持良好的習慣，自然會有良好的結果；只依靠幹勁或動機，是不會有好結果的，所有功成名就的人，都是仰賴良好的習慣。

因此我希望大家養成閱讀的習慣。好不容易養成閱讀習慣，當然要獲得最大的效益和成果才行，於是我決定教大家提升自我的讀書方法。

閱讀時，要秉持三大疑問：

1. 思考作者撰寫這本書的用意。

2. 思考這本書最關鍵的內容是什麼。

3. 思考書中內容如何應用在生活中，以及身為一個研究者，對這本書有什麼疑問或想法。

依我個人觀察，學生讀書多半受制於內容，看了整本書，卻缺乏真正看透的能力，頂多吸收到知識和資訊，無法實際應用。所以看完記不住，思考力也無法精進。

後來我要求他們看書時，要有抒發己見的心理準備。我要求學生在書評部落格，寫下前文提到的三大疑問，並上台發表。

學好讀書方法，一輩子都受用，不知道方法的人，只能土法煉鋼。靠自己摸索也未嘗不可，我只希望大家嘗試我的方法，覺得好用就繼續分享出去。

過去我研究資訊內容商務，這個領域很有多相關的著作，例如媒體產業、通訊技術、廣告、政治宣傳、隱私權、智慧財產權都屬此類。

不習慣大量閱讀的學生，很難讀完這麼多的書籍，可是當他們有不得不讀的壓力，就會認真讀完了，這只要稍微訓練一下就行了。

一開始我教他們提出三大疑問，再按照既定的方式歸納內容，結果他們都順利看完了，連不喜歡看書的學生也一樣。而且他們也注意到，以前看不完是因為沒有讀書目的的關係。

讀書缺乏目的，花再多時間都看不完，縱使看完也不知道該如何活用，這是妨礙讀書的一大原因。

人要對成果感興趣，才會產生努力的幹勁，相對地，把抒發己見當成閱讀的目標，不需要幹勁也會想要努力。

一開始我要求學生用輪流的方式，每個月上部落格寫一本書的書評，沒輪到的學生，也會很好奇其他同學是怎麼寫的，由於寫書評有一套既定的方式，就算大家都讀同樣的作品，也能用自己的方式歸納，順便跟其他同學比較。

事先要求學生提出三大疑問，吸收知識會更快速，我也有傳授「間歇高效率的三次閱讀法」技巧給他們。

寫書評的課程上軌道後，我的學生都有顯著進步，不少人告訴我，他們終於會用策略性的方法閱讀，畢業後依然保持閱讀習慣，出社會工作也不怕遇到大量的文件。

我覺得學生進步最多的是表達能力。基本上我在課堂上是不講課的，我會坐在學生的位子上，讓班代帶動課程，我偶爾提幾個問題引導他們思考。學生透過閱讀鍛鍊出高超的思考力，也敢於表達自己的意見。

我認為大學生最大的弱點，就是缺乏表達能力，他們從小學就很認真念書，但說不出自己的看法。這在國內或許管用，但走到世界上是行不通的。

我經常告訴學生，他們空有一身知識和頭腦，卻沒有實際應用的能力，就好像冰箱塞滿一大堆食物，卻完全不會煮菜一樣。

烹飪技巧是要慢慢培養的，要經歷各種失誤才會進步。從這個角度來看，我的課程是在教導知識的調理技巧，還有抒發己見的方法，老師授課不應該只是傳授知識。

我給學生很多發表意見的機會，他們跑來問我問題，我也很少回答，而是要他們互相討論找出答案，這就是所謂的教學相長。

後來我的學生找工作特別有優勢，他們面試時辯才無礙，又懂得傾聽意見。學生掌握了思辨力、表達力、行動力，又懂得關懷對方，再加上他們看過很多書，對各個領域的知識都有涉獵。

這些學生理所當然有求職上的優勢，任何領域都需要這樣的人才。他們在各個領域都表現得很不錯。

51 讀書是在繪製你的人生地圖

我不會為了享樂而閱讀，所以基本上我不看小說，尤其不看新發行的現代小說。我偶爾會讀比較古典的文學作品，但不能光看重點的書，我盡量不碰。閱讀文學作品很花時間，偏偏我又沒有速讀的技巧，這也是我盡量不碰的理由。當然，我也想寫一些詩情畫意的文章，然而那是需要努力培養的。我習慣用有條理的方式思考，就算對文學作品或劇本感興趣，我也知道那些作品並不適合我。

現在我讀書是為了獲得能量，有了能量，情感才會穩定。好比在忙碌的時候，閱讀一些介紹鄉間生活的書，心情就會很平靜。當你知道人生有不一樣的選擇，可以獲得許多心靈上的慰藉。

書架上有大量的精神營養劑，主動攝取能慰藉心靈的書，也能保持心理健康。

另外，已經「閱讀三次」的書，不妨拿出來回顧自己畫的重點和感言，重溫一下當時的心境和狀況。參考過去已經解決的問題，就不用再浪費時間煩惱了，你會更快想到解決問題的辦法。

讀書就是在繪製自己的人生地圖，因此在書中畫線和寫筆記是有意義的。那些重點和感言將是你未來的羅盤。

千萬不要錯失這樣的機會，同一本書隔一段時間重新閱讀，會有完全不同的收穫。在書中留下自己的足跡，會越讀越有韻味。

52 一百分鐘讀三次的十大策略

最後，我想歸納一下自己的讀書方法，順便寫一些之前沒寫到的訣竅：

選書的技術

- 先判斷你現在到底需要什麼？
- 寫出當下的三大需求。
- 確認標題或封面、書腰，看看作者的學經歷能否滿足需求。

一開始先掌握整體架構

- 仔細確認目錄。

- 確認各章標題和整體內容。
- 了解全文的宗旨和架構。
- 掌握架構後，就能了解哪裡有寶貴的建議。
- 跳過沒興趣的部分。
- 未來有機會派上用場，但目前還用不到的部分也先跳過。

決定要花多少時間看哪一本書

- 閱讀前，先決定要花多久的時間把書讀完。
- 先設下期限，遇到不懂的地方才會直接跳過。

設定閱讀目的和策略

- 弄清楚自己閱讀的目的。
- 沒有策略就不會有方向，如同爬山前沒預做準備。

要有主體性，不要被動吸收知識

- 作者的指引當作參考就好。
- 相信自己的直覺。
- 閱讀方式要符合自己的目的。

抓住重點

- 目錄、圖片、圖表、線圖、序言、結語，是要先看過的重點部分。
- 每章的開頭和最後都要閱讀，節錄重點。

了解內容的脈絡

- 先了解作者的生平和背景。
- 了解主題脈絡。
- 掌握作者真正想傳達的宗旨。

畫線寫重點，跟作者共同創作

- 畫重點。
- 書就是拿來寫下個人感悟的。
- 用自己的話，寫下比作者更有內涵的文句。

抒發己見的方式

- 以投稿的心態寫下書評。
- 要歸納三大重點。
- 把讀書獲得的知識分享出去。

試著分享，教學相長

- 寫下自己的感悟，學習效果會更好。
- 教導其他人，整個學習過程才算完整。

- 重新思考說明的方式，讓對方更容易理解。
- 理解內容後，再用心思考表達方式，理解程度將遠勝於一般學習方式。

結語
學會閱讀技巧，通往成功的捷徑

曾經有人問我，有沒有探討戀愛的名著。法國小說家斯湯達爾（Stendhal）的《論愛情》（*De l'amour*）相當不錯，但最經典的還是美國心理學家埃里希・佛洛姆（Erich Fromm）的《愛的藝術》（*The Art of Loving*）。

佛洛姆在書中說過一句名言：「愛是講究技巧的。」

每個人都渴望愛情，卻無法主動愛人。我們不習慣愛人，也不曉得愛人的方法。簡單說就是技巧不夠，因為沒有學到愛人的技巧，所以不懂得何謂愛。我認為閱讀也是同樣的道理，閱讀也是講究技巧的，然而人們認為愛和閱讀無關技巧，也沒有學習相關的知識。不懂技巧自然做不好，懂了就能做得好。

當你明白愛情講究的是技巧，你就會發現其實人人都辦得到。同理，當你明白閱讀講究的是技巧，你也會相信自己辦得到。

因此訣竅非常重要，要先了解做事的方法，這本書就是在教你方法。不習慣閱讀或缺乏閱讀經驗的人，只要學會技巧，就可以利用閱讀豐富自己的人生。

我二十多歲的時候，有一半的生活費都用來買書。我會把錢用來買書，過著拮据的生活，主要是在某本書中看到了下列的故事，我到現在都還記得一清二楚：

有一個十幾歲的青年，跑去找一位知名作家。他說：「我也想成為你這樣偉大的作家，請問我該怎麼做？」

作家回答他：「把你打工賺來的錢，拿去買一支鋼筆。」

如果你真的熱愛自己的夢想，就應該馬上去做，這是在展現你追求未來的決心。那則故事帶給我很深的感觸，賺了錢再買書這誰都辦得到，但還沒賺錢就買書，是在展現自己對書的熱愛。這樣的熱愛肯定能開創美好的未來。

我想買一些自己看得到，又能長存於心的東西，因此我選擇買書，而不是花錢去滿足口腹之欲。我相信這是在投資自己的未來，雖然日子過得並不富裕，但我確信這樣的努力，可以讓我在未來致勝。

事實上，書確實是通往未來的捷徑，這一點不會改變。

最後，感謝ＰＨＰ研究所的中村悠志先生，還有出版企畫越智秀樹先生，本書出版他們幫了不少忙。另外，寫手上阪徹先生也幫我完善了本書的內容，我想要藉這個機會好好向他們道謝。

希望這本書可以幫助到大家。

翻轉學　翻轉學系列 075

間歇高效率的三次閱讀法

讀懂一本書只要 100 分鐘，解決過目就忘、知識無法內化與活用的閱讀煩惱

一生忘れない読書 100 分で 3 回読んで、血肉にする超読書法

作　　者　金正 John Kim（日）
協力編輯　上坂徹
製 作 人　越智秀樹（OCHI 企畫）
譯　　者　葉廷昭
總 編 輯　何玉美
主　　編　林俊安
責任編輯　袁于善
內文排版　黃雅芬

出版發行　采實文化事業股份有限公司
行銷企畫　陳佩宜・黃于庭・蔡雨庭・陳豫萱・黃安汝
業務發行　張世明・林踏欣・林坤蓉・王貞玉・張惠屏・吳冠瑩
國際版權　王俐雯・林冠妤
印務採購　曾玉霞
會計行政　王雅蕙・李韶婉・簡佩鈺
法律顧問　第一國際法律事務所　余淑杏律師
電子信箱　acme@acmebook.com.tw
采實官網　www.acmebook.com.tw
采實臉書　www.facebook.com/acmebook01

I S B N　978-986-507-604-7
定　　價　320 元
初版一刷　2021 年 12 月
劃撥帳號　50148859
劃撥戶名　采實文化事業股份有限公司
104 台北市中山區南京東路二段 95 號 9 樓
電話：(02)2511-9798　傳真：(02)2571-3298

國家圖書館出版品預行編目資料

間歇高效率的三次閱讀法：讀懂一本書只要 100 分鐘，解決過目就忘、知識無法內化與活用的閱讀煩惱 / 金正 John Kim（日）著；葉廷昭譯 . -- 台北市：采實文化，2021.12
224 面 ; 14.8×21 公分 . -- (翻轉學系列 ; 75)
譯自：一生忘れない読書 100 分で3 回読んで、血肉にする超読書法
ISBN 978-986-507-604-7（平裝）
1. 讀書法 2. 閱讀指導
019.1　　110018034

一生忘れない読書 100 分で 3 回読んで、血肉にする超読書法
ISSHO WASURENAI DOKUSHO

采實出版集團
ACME PUBLISHING GROUP

翻轉學

翻轉學

翻轉學

翻轉學